D. Rogers.

D0591248

LES ROMANESQUES

COMÉDIE EN TROIS ACTES, EN VERS

PAR

EDMOND ROSTAND

DE L'ACADÉMIE FRANÇAISE

EDITED
WITH PREFACE, INTRODUCTION, AND NOTES

BY

HENRY LeDAUM

INSTRUCTOR IN NORTHWESTERN UNIVERSITY

INTERNATIONAL MODERN LANGUAGE SERIES

GINN AND COMPANY

BOSTON · NEW YORK · CHICAGO · LONDON
ATLANTA · DALLAS · COLUMBUS · SAN FRANCISCO

Copyright, 1903

By HENRY Le DAUM

ALL RIGHTS RESERVED

318.12

The Athenæum Press

GINN AND COMPANY · PRO-
PRIETORS · BOSTON · U.S.A.

PREFACE

In preparing this little book for schools and colleges, I have been impressed by the poetic excellence and dramatic genius of Edmond Rostand, the beauty and freshness of his plays, and their general educational merit. "Les Romanesques," though in a diction "often as eloquent and ravishing as the most exquisite passages of 'Romeo and Juliet,'" is only a literary "trifle light as air" — a delightful comedy withal, light in plot, and fascinating by the quality of its fleeting, fantastic, and at times exuberant verse. The play is here given critical consideration: the historical and literary allusions, the vocabulary and turns of expression peculiar to Rostand, and the more difficult French idioms are explained in the Notes. The Introduction is intended to acquaint the reader with the author and to excite the student's interest in his dramatic work.

Herewith let me acknowledge my obligation to many writers, editors, and publishers in Europe and in America, for all handy reference material used in compiling this book. Among others, I am especially indebted to Messrs. Ginn & Company for securing M. Rostand's permission to publish "Les Romanesques." To Professor James Taft Hatfield, Professor George Oliver Curme, and Doctor Herbert Franklin Fisk of Northwestern University, for encouragement, suggestions, and favors, and to Mr. Edwin Almiron Greenlaw, Ph. D., for kindly reading the Notes, I wish to extend my most cordial thanks.

HENRY LeDAUM.

Evanston — Chicago, April, 1903.

CONTENTS

INTRODUCTION

EDMOND ROSTAND, at present the leading dramatist of France, was born at Marseilles in 1868. His father, Eugène Rostand, a distinguished though little-known journalist, translated and edited Catullus, a graceful Latin poet, rightly called the intellectual godfather of Edmond Rostand. The latter, after spending his boyhood days in sunny Provence, entered Stanislas College (Paris), and shortly after graduation made his first contribution to literature.

Rostand, a man of retiring disposition and artistic temperament — delicate, refined, and modest though wealthy — was a poet from his youth ; he was especially fond of composing dramatic lines to while away his leisure hours.[1] But "Le Gant Rouge," a one-act farce comedy given at the Cluny theater (August 24, 1888), failed to attract attention.[2] Undue timidity or mismanagement in "Les Pierrets" (1890), his first play in verse, cost him, it is said, the glory of being then played on the national stage of the Comédie Française.[3] In the fall of 1894, Rostand, still slightly known and only as an amateur poet, gave a private reading of his "La Princesse Lointaine" at the house of Sarah Bernhardt. The Parisian actor Coquelin, who was present, was struck with the beauty of the lines and the high artistic quality of the author's rendering.[4]

---

[1] A. Brisson, "Portraits Intimes," Vol. II. Paris, 1896.

[2] *Athenæum*, Edinburgh, June 2, 1900.

[3] R. H. Sherard, "An Afternoon with Edmond Rostand, — A Personal Interview," *Metropolitan*, October, 1902.

[4] C. Moffet, "The Author of Cyrano," *McClure's*, Vol. XIV, 1899–1900.

The distinguished actress was enchanted; Coquelin was captivated — he had found a poet !

Edmond Rostand had before this given to Paris his first pipings and chirpings in "Les Musardises" (1890), a volume of dainty poems, supplemented in the same year by "Les Pipeaux" of Rosemonde Gérard, his accomplished wife. But "Les Musardises," except for a flattering comparison with Alfred de Musset, had been almost ignored.[1] Likewise only a passing notice was given to "Les Romanesques" (May 24, 1894), a play which not only reveals the manner of Rostand and his unerring dramatic instinct, but also his remarkable constructive genius and poetic fervor. Then came "La Princesse Lointaine" (April 15, 1895); "Pour la Grèce," a noble poem recited by the author at a matinée (March 11, 1897); "La Samaritaine" (April 14, 1897), a sacred drama in verse; and "Cyrano de Bergerac" (December 28, 1897), — the most significant contribution to French literature since "Le Cid" and "Hernani." Whether applauded or disparaged, it remains a dramatic composition as excellent and original as the best of Corneille, Racine, or Hugo; and it ranks — whatever may be its ethical worth — with the French masterpieces of the last three centuries. "Cyrano de Bergerac" is a five-act heroic comedy of extraordinary brilliancy, in verse sparkling with joy, "full of action and ready wit, amusing, and clever; it stirs the noblest emotions, contains charming lyrics, a delightful and novel love-story, plenty of fighting, swagger, pathos, nonsense; — what is there like it?" exclaims Coquelin. "Cyrano de Bergerac," at once universally admired and praised, widely translated and acted, brought fame to its author. Later appeared "La Journée d'une Précieuse" (1900), a dramatic poem; "L'Aiglon" (March 15, 1900), a drama in six acts, in

[1] A. Filon, "The Modern French Drama." London, Chapman & Hall, 1898.

verse; and since then only a few paragraphs, a sonnet, or an occasional ode.

Upon inspection these works betray on every hand the poetic talents of the author, his knowledge, his culture, and his youth.   Like Stephen Phillips, his English emulator in the poetic drama, Rostand shows great tact in selecting materials for dramatic composition — creating or rehandling plots with almost Shakespearean skill.   He has so far confined himself to ingenious dramas of love, adventure and romance, history and fable; plays "which afford a refined pleasure, not too remote from human interests, enjoyable as mere literature, and aglow with poetic fancy."   Like his distinguished contemporary, Rostand is fond of "those familiar types which are consecrated to romantic ideas in the minds of all cultivated people, and which, in the drama, relieve them of the strain of following an unknown fable." [1]   His plays are very popular and elicit genuine interest and admiration. They contain action and characterization, well-colored incidents, scenic enchantment and literary enthusiasm.   His characters display cleverness in declamation and discourse. Himself intoxicated with poetry, he is partial to poets: Percinet, Joffroy Rudel and Bertrand, Photine and Jesus, Cyrano and Napoleon II, are either poets or poetic.   His heroes are pale, blond, and young, — a light Hamlet, a blond Bonaparte. [2]   The love of his heroes must be disinterested, even unto self-sacrifice; as in "Cyrano de Bergerac" and "La Princesse Lointaine."   They love just for love, and join in armed strife for glory; yet these men have a high sense of honor and duty, of gallantry and heroism.   His women, on the contrary, are often colorless and lack character; — in

[1] Edmund Gosse, "Revival of Poetic Drama," *Atlantic Monthly*, August, 1902.

[2] In illustration of this fact it is interesting to note Rostand's frequent use of the adjectives "pale," "blond," "young," etc.

keeping with their traditional treatment in French literature, they are conventional and artificial. Even the gallant
Cyrano reflects unawares the attitude of the French dram-
atists; in arrogant though beautiful language he proclaims
this subordinate rôle :

> Rayonnez, fleurissez, soyez des échansonnes
> De rêves, d'un sourire enchantez un trépas,
> Inspirez-nous des vers . . . mais ne les jugez pas!
>
> "Cyrano de Bergerac," Act I, Scene iv.

But Rostand seldom fails as in Mélissinde and " Petite
Source" to uphold in woman a standard of conduct consistent
with Christian ideals. His heroines are bright, thoughtless,
and "précieuses"; fond of verses and of poetic love; not a
little egotistic and enamored of the beautiful, calculating and
coquettish; even in the face of death they remain strangely
playful and frivolous, as in " La Princesse Lointaine " and
"Cyrano de Bergerac " and " L'Aiglon." His dramas do not
commonly reveal the deep concerns of life or the wonted
seriousness of a matured, thoughtful man, but rather the
poetic exuberance of a well-endowed genius, clear and lumi-
nous. And yet he sets forth the fine and worthy in life rather
than the despicable, the clean and beautiful rather than the
ugly, the noble and inspiring rather than the perverted.

Withal, Rostand is conscious of his shortcomings and
easily yields to a passing fancy. Young, and still seeking
himself, he is perhaps as yet only the "enfant sublime " of
the new century. His ideas are few. He suggests more
than he defines, perceives more than he sees, divines and
reveals more than he teaches. His plays are peculiarly
"reminiscent " in that, although made strikingly original by
his personality, many scenes recall familiar situations and
fancies. Rostand displays a certain aversion to reality: a
dread of the substantial in life and love, in sentiment and

coloring. He seeks and expresses intermediate shades, min-
gling in his pages the delicate tints of Puvis de Chavannes
with the airy conceptions of Watteau; pale flowers with
lingering perfumes, pale silks and light verses, peals of
laughter and strains of music wafted on the breeze of moonlit nights; spraying fountains and babbling waters; frail
lilies and twinkling stars.

For the past quarter of a century prior to Rostand's
appearance there had been much intellectual commercialism
in French letters; science and philosophy, analysis and
criticism, were fast transforming men into cold, calculating
machines. There was needed in the world of letters a
little emotion and sentiment from dreamland. Rostand
endeavors to mingle in due measure truth and fiction, love
and life, the ideal and the real. His dramas represent a
return to health in French letters; they have all the
qualities of the best French tradition and revive the true
French spirit. The playwright's ambition seems to have
been to restore the drama to its poetic channels; he has
succeeded. His work is a protest against Problem and
Purpose plays, and introduces a new period in the drama, —
a clean, wholesome period. He has freed the Muse from
her long subjection to plays dealing with the glaring faults
of society and the woes of the pinched home or of the sordid
shop. It is a genuine pleasure to meet again in the moonlit
fields and to enjoy in the dreamy woods —

> Un repos naïf des pièces amères.
>
> Act III, page 86, line 5.

Rostand repeats himself in all his plays: but as the Italian
sun repeats itself, — with increasing glow; as Shakespeare
repeats himself, — with increasing power; as life repeats itself,
— with increasing variety. His dramas reveal sequence,
growth, and no lack of plan: there is but a step, albeit

interesting, from Sylvette to Mélissinde and Photine; from Percinet to Bertrand and Cyrano de Bergerac. The motives and scenes worked over in each succeeding play show added beauty, strength, and dramatic effect; as the scene of the talkative merchant in "L'Aiglon," merely sketched in "La Princesse Lointaine," and effectively used by Gabriele d'Annunzio in his version of "Francesca da Rimini." Compare also the looking-glass scene in "L'Aiglon" with that of Straforel and Sylvette in Act III, Scene ii, of "Les Romanesques." Besides, in Act I, Scene v, of this play may be found the prototype of that dissertation on the nose of Cyrano de Bergerac which has made the whole world laugh.

The classic and popular lore of France is successfully introduced. It is interesting to note how admirably the poet profits by the slightest historical items and in what a masterly way he heightens drama by poetry. A resourceful improvisation characterizes his art, — a certain disposition to seize upon and exhaust brilliantly the form and content of a thought or a situation, suggested or actual. There is, however, a tendency on his part to indulge in this species of analysis at the expense of action. He loves technical processes, forgets purpose, and glories in technical successes, as in "Cyrano de Bergerac" and "La Journée d'une Précieuse"; deals in surprises, dramatic strokes, and *tours de force*, as in "L'Aiglon" and "Cyrano de Bergerac." Moreover, he coins harmless neologisms — willful oddities — in all his plays; shows a D'Annunzio-like anxiety for the effect of his words, and longs for the delirious emotion of their flight and sweep and glory. His works abound in graceful stanzas, new rhymes, and pretty conceits; in happy scenes and irresistible situations; in quick repartee and interesting narrative. He is at once profuse and diffuse, now playful, now serious, impulsive, or tenderly thoughtful. His verse is the "chose envolée" of Paul Verlaine and the "vers qu'il faut laisser s'envoler" of Cyrano de Bergerac. His plays are especially notable for poetic ardor and youthful vigor, sparkling wit and flitting verses, pathetic humor and grim irony, purity and dramatic effectiveness; nearly all utilize the closing years or moments of the hero's life,—evidently and adroitly chosen for the opportunity they offer to picture with more verisimilitude the varying details of life, love, and unbidden death.

Without subjecting his poetic fancy to the time-honored three unities,—time, place, and action,—Rostand remains faithful to the essentials of the French drama: (1) impersonality of authorship, each character being stamped with its own personality and acting accordingly; (2) spontaneity and attention to the inherent powers of a subject properly chosen and circumscribed; and (3) the lyric or rhetorical turn of its best parts, characteristic of French art. And if anything be new in Rostand, it is best exemplified in his easy transitions from a chatty, sparkling dialogue to the loftiest lyric poetry. It is, indeed, in respect to these recurring passages of great beauty that he is said to be the worthy successor of Alfred de Musset, the romanticist with whom he has been always favorably compared. But, though precocious like him, Rostand is more reasonable and better grounded morally. His plays have more freshness and vigor; they offer situations less tinged with personal vanity and have accordingly a literary excellence less susceptible to the ravages of time. Rostand is a greater constructive genius, more resourceful in his dramatic art, less egotistic and sentimental. Though less material, he is not less real. Nevertheless, his turn of expression is characteristic of Alfred de Musset; as a light-verse maker Rostand has his poetic grace and flexibility, wealth of diction, and variety of moods. Rostand combines to a rare degree the imagination of romanticism with classic perfection. The general enthusiasm and praise which greeted "Cyrano de Bergerac" was not a little alloyed with doubt among certain critics. These, more reserved, feared lest the future career of the young dramatist (then about thirty) might not fulfill his present promise. But fear, doubt, and hostile criticism gradually vanished, and on May 30, 1901, shortly after the triumph of "L'Aiglon," Edmond Rostand was elected to the French Academy.

DRAMATIC REVIEW

"Les Romanesques," a comedy in three acts (which carried off the Toirac prize of four thousand francs for the best work contributed to the Comédie Française during the year 1890–1891), was presented for the first time in Paris, May 21, 1894. It was on that memorable Monday night that Edmond Rostand made his début in the dramatic world, and on the much-coveted stage of the French national theater.

"Les Romanesques" is the story of two romantic lovers just out of college. Their fathers, longing for a marriage that would bring about the union of their own estates, feign Veronese hatreds to obstruct "the course of true love" and to precipitate the betrothal. Percinet and Sylvette, who have been reading "Romeo and Juliet," fancy themselves the much-abused lovers of Shakespeare, and fondly exchange their poetic vows over the crest of a vine-clad wall separating the two estates. Overhearing this idle talk, the indulgent fathers hire Straforel, a skillful but harmless ruffian, to furnish excitement. On a fragrant moonlit night Straforel enters the garden to kidnap Sylvette. At her cries the lover intervenes and heroically rescues his beloved. The plan succeeds ; the betrothal ends the existence of the obnoxious wall, and, none the wiser for the mock-heroic scene of which they have been the puppets, Percinet and Sylvette are triumphantly happy.

the French drama.   The same author and critic demanded
that the cæsura follow the sense, and that in the Alexandrine the pause be after the sixth syllable; he condemned
easy and weak rhymes and forbade hiatus between words,
—hiatus not existing, however, in cases involving a word
ending in e mute, and seldom being proscribed in the interior
of a word; he guarded against overflow, insisting that the
line be complete in itself; he sought good taste in expression and established the French of Paris as the poetic
standard, censuring Latin and Greek pedantry and stub-
bornly resisting all foreign influences and infiltrations.

In the days of classical French literature the Alexandrine
(sometimes called the heroic line, because commonly limited
to epic poetry and tragedy) was considered most suitable
for serious and sober subjects; it filled, in the eyes of the
French, the place of the renowned hexameter of the Latins
and of the Greeks.   In view of such relationships and
responsibility, the Alexandrine became majestic and solemn;
it assumed a geometrical perfection consisting of interde-
pendent lines complete in thought, divided and subdivided
evenly and regularly, with a recurring final sound in alter-
nating couplets.   According to Boileau,

> Ayez pour la cadence une oreille sévère :
> Que toujours dans vos vers le sens coupant les mots
> Suspende l'hémistiche, en marque le repos.

"Art Poétique," I, lines 104–107.

In its classic uniformity the Alexandrine was rigid and
monotonous.   Much of the verse of Corneille, Racine, and
Molière jogs along laboriously.   The precise school of
Malherbe and Boileau yielded Alexandrines mechanically,—
mere prose cut into lengths.   The modern French poets
have sought to give the famous line more flexibility.   André
Chénier (1762–1794) allowed the Alexandrine to overflow

its rhyme, thus giving needed amplitude to French poetry. Victor Hugo (1802–1885) wrought for greater technical mastery and permitted the displacement of the cæsura, often suppressing it altogether. Alfred de Musset (1810–1857) playfully, it is said, overlooked a hiatus and thus avoided periphrasis. The same author crossed his dramatic rhymes singly or in pairs to suit his poetic fancy. Leconte de Lisle successfully wrote dramatic poems in only one kind of rhyme — all feminine or all masculine — and all the younger poets of France have sought greater liberty in rhyme. This much-jaded "unique harmonie" of the French verse is now often reduced to mere assonance; to be perfect, French rhyme needs no longer to satisfy the eye as well as the ear. But rhyme is indispensable; blank verse, which even in English is not always discernible from prose, is not considered possible in French, each word losing its nominal accent in the more important phrasing process.

Thus the laws sententiously laid down by Boileau have been gradually modified to suit the ever-changing fancy or taste of the times; and yet, the poetic traditions inherited from the sixteenth and seventeenth centuries have been continued or only slightly modified by modern French writers. It is still the aim of French poets to turn out a smooth line endowed with all the thought, sentiment, æsthetic merit, and mechanical variety possible. Not only is the Alexandrine still the measure of serious and dignified dramatic poetry, it is moreover in its modern form the favorite line of the French in poetic productions of every description. But the tendency of modern French verse, as illustrated by the poetic drama of Rostand, is to make the Alexandrine more lyrical and supple, to fit it to the present mood, and to substitute for pompous rhetoric direct turns of expression and sparkling images. Like those poets who seek naturalness with elevation of thought and language, Rostand does not restrict himself to all the ancient laws. He freely locates cæsura and uses the indifferently approved overflow line :

> Oh! rencontrer cet homme! Oh! je fuirais jusqu'au
> Bout du monde. . . .
>
> Act II, page 60, lines 5–6.

His rhymes satisfy the ear though some may offend the eye :

> Hum! . . . Tu voulais
> Dire tantôt des vers sur nos amours? Dis-les.
>
> ·Act II, page 54, lines 7–8.

For all that, Rostand does not accept the so-called free line. In spite of his own bantering judgment,

> Ils sont mauvais, tu sais. . . . Je n'ai pas . . . la facture,
>
> Act II, page 54, line 10.

his Alexandrines are constructed successfully.

LES ROMANESQUES

À ROSEMONDE

PERSONAGES

PERCINET ⎫
          ⎬ . . . . Lovers
SYLVETTE ⎭

BERGAMIN . . . . Father of Percinet

PASQUINOT . . . . Father of Sylvette

STRAFOREL . . . . Universal Genius

BLAISE . . . . Gardener

Ruffians, Musicians, Negroes, Torch-Bearers,
A Notary, Bourgeois

The scene may be anywhere, provided that the costumes are pretty.

LES ROMANESQUES

PREMIER ACTE

La scène est coupée en deux par un vieux mur moussu et tout enguirlandé de folles
plantes grimpantes.   A droite, un coin du parc de Bergamin ; à gauche, un coin du
parc de Pasquinot.   De chaque côté, contre le mur, un banc.

SCÈNE PREMIÈRE

SYLVETTE, PERCINET

Quand le rideau se lève, Percinet est assis sur la crête du mur, ayant, sur son genou, un
livre, dont il donne lecture à Sylvette attentive, debout sur le banc, de l'autre côté
du mur, auquel elle s'accoude.

SYLVETTE

Ah !   Monsieur Percinet, mais comme c'est donc beau !

PERCINET

N'est-ce pas ? . . .   Écoutez répondre Roméo :   (Il lit.)
" C'est l'alouette, Amour, je te dis que c'est elle !
Vois, le bord des vapeurs légères se dentelle,
Et là-bas, au sommet rose du mont lointain,   5
Sur le bout de son pied se dresse le matin !
Il faut fuir . . ."

SYLVETTE, vivement, prêtant l'oreille

Chut !

PERCINET, écoute un instant, puis :

Personne !   Ainsi, mademoiselle,
Ne prenez pas ces airs effarouchés d'oiselle
Qui de la branche, au moindre bruit, va s'envoler . . .

Écoutez les Amants immortels se parler :
Elle : "Amour, amour cher, non, ce n'est pas l'aurore,
Mais c'est, pour éclairer ta fuite, un météore !"
Lui : "Puisqu'elle le veut, eh bien, soit, ce n'est point
L'alouette qui chante et l'aurore qui point :   5
Ce reflet, c'est le tien, Cynthia, dans la nue !
Vienne la Mort, la Mort sera la bienvenue !"

SYLVETTE

Oh ! non, je ne veux pas qu'il parle de cela,
Ou bien je vais pleurer . . .

PERCINET

      Alors, restons-en là !
Et, jusques à demain refermant notre livre,   10
Laissons, puisqu'il vous plaît, le doux Roméo vivre.
(Il ferme le livre et regarde tout autour de lui.)
— Quel adorable endroit, fait exprès, semble-t-il,
Pour s'y venir bercer aux beaux vers du grand Will !

SYLVETTE

Oui, ces vers sont très beaux, et le divin murmure
Les accompagne bien, c'est vrai, de la ramure,   15
Et le décor leur sied, de ces ombrages verts ;
Oui, monsieur Percinet, ils sont très beaux, ces vers !
Mais ce qui fait pour moi leur beauté plus touchante,
C'est que vous les lisez de votre voix qui chante.

PERCINET

La vilaine flatteuse !

SYLVETTE, soupirant

      Ah ! pauvres amoureux !   20
Que leur sort est cruel, qu'on fut méchant pour eux !
(Avec un soupir.)
Ah ! je pense . . .

PERCINET

A quoi donc ?

SYLVETTE, vivement

A rien ! . . .

PERCINET

A quelque chose

Qui vous a fait soudain devenir toute rose !

SYLVETTE, de même

A rien ! . . .

PERCINET, la menaçant du doigt

Oh ! la menteuse . . . aux yeux trop transparents !
Je le vois, à quoi vous pensez ! . . .   (Baissant la voix.)

A nos parents !

SYLVETTE

Peut-être, . . .

PERCINET

A votre père, au mien, à cette haine   5
Qui les divise !

SYLVETTE

Eh ! oui, c'est là ce qui me peine,
Ce qui me fait pleurer en cachette, souvent.
Lorsque le mois dernier je revins du couvent,
Mon père, me montrant le parc de votre père,
Me dit : " Ma chère enfant, tu vois là le repaire   10
De mon vieil ennemi mortel, de Bergamin.
De ce gueux, de son fils, détourne ton chemin ;
Promets-moi bien, sinon, vois-tu, je te renie,
D'être pour ces gens-là, toujours, une ennemie,
Car, de tous temps, les leurs ont exécré les tiens ! "   15
J'ai promis. . . .   Vous voyez, monsieur, comme je tiens.

PERCINET

Et n'ai-je pas promis à mon père, de même,
De vous haïr toujours, Sylvette ? — et je vous aime !

SYLVETTE

Sainte Vierge !

PERCINET

Et je t'aime, enfant !

SYLVETTE

C'est un péché !

PERCINET

Un gros . . . , que voulez-vous ?   Plus on est empêché
D'aimer quelqu'un, et plus il vous en prend l'envie.
Sylvette, embrassez-moi !

SYLVETTE

Mais jamais de la vie !

(Elle saute du banc et s'éloigne.)

PERCINET

Vous m'aimez cependant !

SYLVETTE

Que dit-il ?

PERCINET

Chère enfant,   5
Je dis ce dont encor votre cœur se défend,
Mais ce dont plus longtemps douter serait un leurre !
Je dis . . . ce que vous-même avez dit tout à l'heure,
Oui, vous-même, Sylvette, en comparant ainsi
Les Amants de Vérone aux deux enfants d'ici.   10

SYLVETTE

Je n'ai pas comparé ! . . .

PERCINET

Si ! . . .   Mon père et ton père
A ceux de Juliette et de Roméo, chère !
C'est pourquoi Juliette et Roméo, c'est nous,

Et c'est pourquoi nous nous aimons comme des fous !
Et je brave à la fois, malgré leur haine aiguë,
Pasquinot-Capulet, Bergamin-Montaiguë !

SYLVETTE, se rapprochant un peu du mur

Alors, nous nous aimons ?   Mais, monsieur Percinet,
Comment ça s'est-il fait si vite ? . . .

PERCINET

L'amour naît,   5
On ne sait pas comment, pourquoi, quand il doit naître.
Je vous voyais souvent passer de ma fenêtre . . .

SYLVETTE

Moi de même . . . .

PERCINET

Et nos yeux causaient en tapinois.

SYLVETTE

Un jour, là, près du mur, je ramassais des noix, —
Par hasard . . .

PERCINET

Par hasard, là, je lisais Shakspeare ;   10
Et — pour unir deux cœurs, vois comme tout conspire...

SYLVETTE

Le vent fit envoler, psst ! . . . chez vous, mon ruban !

PERCINET

Pour le rendre aussitôt je grimpai sur le banc . . .

SYLVETTE, grimpant

Je grimpai sur le banc . . .

PERCINET

Et, depuis lors, petite,
Chaque jour je t'attends, et chaque jour plus vite   15
Bat mon cœur, lorsqu'enfin monte, signal béni !

Là, derrière le mur, ton doux rire de nid,
Qui ne s'achève pas sans que ta tête émerge
Du fouillis frémissant de folle vigne vierge !

SYLVETTE

Puisque nous nous aimons, il faut nous fiancer.

PERCINET

C'est à quoi justement je venais de penser.   5

SYLVETTE, solennellement

Dernier des Bergamin, c'est à toi que se lie
La dernière des Pasquinot !

PERCINET

Noble folie !

SYLVETTE

On parlera de nous dans les âges futurs !

PERCINET

Oh ! trop tendres enfants de deux pères trop durs !

SYLVETTE

Mais, qui sait, mon ami, peut-être l'heure tinte   10
Où Dieu veut que, par nous, leur haine soit éteinte ?

PERCINET

J'en doute.

SYLVETTE

Moi, j'ai foi dans les événements,
Et j'entrevois déjà cinq ou six dénouements
Très possibles.

PERCINET

Vraiment, et lesquels ?

SYLVETTE
                Mais suppose
— Dans plus d'un vieux roman j'ai lu pareille chose —
Que le Prince Régnant vienne à passer un jour. . . .
Je cours le supplier, lui conte notre amour,
Que nos pères entre eux ont une vieille haine. . . .   5
— Un roi maria bien don Rodrigue et Chimène —
Le Prince fait venir mon père et Bergamin,
Et les réconcilie . . .

PERCINET
        Et me donne ta main !

SYLVETTE

Ou bien cela s'arrange ainsi que dans *Peau d'Ane*.
Tu dépéris, un sot médecin te condamne. . . .   10

PERCINET

Mon père me demande, affolé : " Que veux-tu ? "

SYLVETTE

Tu dis : " Je veux Sylvette ! "

PERCINET
             Et son orgueil têtu
Est contraint de fléchir !

SYLVETTE
        Ou bien, autre aventure :
Un vieux duc, ayant vu de moi quelque peinture,
M'aime, envoie un superbe écuyer, en son nom,   15
M'offrir d'être duchesse. . . .

PERCINET
        Alors, tu réponds : " Non ! "

SYLVETTE

Il se fâche : un beau soir, dans quelque sombre allée
Du parc, où pour rêver à toi je suis allée,
On m'enlève ! . . .   Je crie !

PERCINET

                    Et je ne tarde point
A surgir près de toi ; je mets la dague au poing,
Me bats comme un lion, pourfends . . .

SYLVETTE

                        Trois ou quatre hommes. —   5
Mon père accourt, te prend dans ses bras, tu te nommes ;
Alors il s'attendrit, me donne à mon sauveur,
Et ton père consent, tout fier de ta valeur !

PERCINET

Et nous vivons longtemps et très heureux ensemble ?

SYLVETTE

Et tout cela n'a rien d'impossible, il me semble.   10

PERCINET, entendant du bruit

On vient !

SYLVETTE, perdant la tête

Embrassons-nous !

PERCINET, l'embrassant

                    Et, ce soir même, ici,
A l'heure du Salut, tu viendras, dis ?

SYLVETTE

                        Non !

PERCINET

                            Si !

SYLVETTE, disparaissant derrière le mur

Ton père !   (Percinet saute vivement à bas du mur.)

SCÈNE II

SYLVETTE, descendue du mur et par conséquent invisible
à Bergamin.   PERCINET, BERGAMIN

BERGAMIN

Ah ! je vous prends à rêvasser encore
Seul, en ce coin de parc ?

PERCINET

Mon père, je l'adore,
Ce coin de parc ! . . .   J'adore être assis sur ce banc
Que la vigne du mur abrite, en retombant ! . . .
Voyez-vous comme elle est gracieuse, la vigne ?   5
Remarquez ces festons d'une arabesque insigne . . .
On est si bien ici pour respirer l'air pur !

BERGAMIN

Si bien devant ce mur ?

PERCINET

Je l'adore, ce **mur** !

BERGAMIN

Je ne vois pas ce que ce mur a d'adorable.

SYLVETTE, à part

Il ne peut pas le voir !

PERCINET

Mais il est admirable,   10
Ce vieux mur, crêté d'herbe, enguirlandé, couvert
Ici de vigne rouge, ici de lierre vert,
Là de glycine mauve aux longues grappes floches,
Et là de chèvrefeuille, et là d'aristoloches !
Ce vieux mur centenaire et croulant dont les trous   15
Laissent pendre au soleil d'étranges cheveux roux.

Qui de petites fleurs charmantes se constelle,
Ce mur sur qui la mousse est d'une épaisseur telle
Qu'il fait à l'humble banc scellé dans sa paroi
Un dossier de velours comme au trône d'un roi!

BERGAMIN

Ta! ta! ta!   Voudrais-tu, blanc-bec, me faire accroire   5
Que tu viens ici pour les beaux yeux du mur?

PERCINET
                                        Voire,
Pour les beaux yeux du mur!...   (Tourné vers le mur.)
                        Qui sont de bien beaux yeux!
Frais sourires d'azur, doux étonnements bleus,
Fleurs profondes, clairs yeux, vous êtes nos délices,
Et si jamais des pleurs emperlent vos calices,   10
D'un seul baiser nous les volatiliserons!...

BERGAMIN

Mais le mur n'a pas d'yeux!

PERCINET
                        Il a les liserons.
(Et, gracieux, il en présente un, prestement cueilli, à Bergamin.)

SYLVETTE

Est-il spirituel, doux Jésus!

BERGAMIN
                        Est-il bête!
Mais je connais ce qui te fait perdre la tête.
(Mouvement d'effroi de Percinet et de Sylvette.)
Tu viens lire en cachette!
(Il prend le livre qui sort de la poche de Percinet, et regarde le dos.)
                        Et du théâtre!...
(Il l'ouvre et le laisse tomber avec horreur.)
                        En vers!—   15

Des vers !... Voilà pourquoi, la cervelle à l'envers,
Vous rêvez, vous errez, évitant les approches,
Pourquoi vous me venez parler d'aristoloches,
Et pourquoi vous voyez des yeux bleus à ce mur !
Un mur n'a pas besoin d'être joli, — mais sûr !
Je vais faire enlever toutes ces choses vertes
Qui pourraient nous cacher quelques brèches ouvertes,
Et, pour mieux nous garder d'un voisin insolent,
Remaçonner ce pan, bâtir un beau mur blanc,
Bien blanc, bien net, bien propre ; au lieu...d'aristoloches,   10
Le garnir, dans le plâtre ayant fait des encoches,
De tessons de bouteille, au tranchant acéré,
Qu'on verra s'en aller en bataillon serré...

PERCINET

Oh ! grâce !

BERGAMIN

Pas de grâce !... Ainsi je le décrète !
Tout le long, tout le long, tout le long de la crête !   15

SYLVETTE et PERCINET, consternés

Oh !

BERGAMIN, s'asseyant sur le banc

Ça, causons ! (Il se relève et s'éloigne du mur avec un air soupçonneux.)
Mais, hum !... les murs, s'ils n'ont pas d'yeux,
Ont des oreilles !

(Il fait le mouvement de monter sur le banc. Effroi de Percinet. Au bruit, Sylvette se
fait toute petite derrière le mur, mais Bergamin renonce, après une grimace que lui
arrache quelque vieille douleur, et fait signe à son fils de monter à sa place, et de
regarder.)
Vois si quelque curieux...

PERCINET, grimpant lestement sur le banc et se penchant au-dessus du mur,
bas à Sylvette, qui aussitôt s'est redressée

A ce soir !

SYLVETTE, lui donnant sa main qu'il baise — tout bas

Je viendrai devant que l'heure sonne.

PERCINET, de même

J'y serai !

SYLVETTE, de même

Je t'adore !

BERGAMIN, à Percinet

Eh bien ?

PERCINET, sautant à terre et à voix haute

Eh bien, — personne !

BERGAMIN, rassuré, se rassied

Alors, causons . . .   Mon fils, je veux vous marier.

SYLVETTE

Ah !

BERGAMIN

Qu'est-ce ?

PERCINET

Rien.

BERGAMIN

On vient de faiblement crier.

PERCINET, regardant en l'air

Quelque oiselet blessé . . .

SYLVETTE

Hélas !

PERCINET

Dans la ramure ! . . .

BERGAMIN

Or donc, mon fils, après réflexion très mûre,
J'ai fait pour vous un choix.

5

PERCINET, remonte en sifflant

Tu ! tu !

BERGAMIN, après un instant de suffocation, le suivant
                                        Je suis têtu,
Et je vous forcerai, monsieur . . .

PERCINET, redescendant
                              Tu ! tu ! tu ! tu !

BERGAMIN

Voulez-vous bien finir de siffler, mauvais merle ! . . .
Une femme encor jeune, et très riche, — une perle !

PERCINET

Et si je n'en veux pas de votre perle !

BERGAMIN
                                    Attends !   5
Je m'en vais te montrer, polisson ! . . .

PERCINET, rabaissant la canne levée de son père
                                    Le Printemps
A rempli les buissons, mon père, de bruits d'ailes,
Et les sources des bois voient s'abattre auprès d'elles
Des couples de petits oiseaux se caressant . . .

BERGAMIN
Impudique !

PERCINET, même jeu
              Tout rit et fête Avril récent ;   10
Les papillons . . .

BERGAMIN
              Pendard !

PERCINET, même jeu
                          A travers champs essaiment,
Pour aller épouser toutes les fleurs qu'ils aiment ! . . .
L'Amour . . .

BERGAMIN
              Bandit !

PERCINET

                    Met tous les cœurs en floraison,
Et vous me voulez voir marié de raison !

BERGAMIN

Oui certes, garnement !

PERCINET

                    Eh bien, non, non, mon père !
Je jure . . . sur ce mur — qui m'entend, je l'espère ! —
Que je me marierai si romanesquement,   5
Que l'on n'aura jamais vu dans aucun roman
Quelque chose de plus follement romanesque !
                    (Il se sauve en courant.)

BERGAMIN, courant après lui

Oh ! je t'attraperai !

SCÈNE III

SYLVETTE, puis PASQUINOT

SYLVETTE, seule

                    Vraiment, je conçois presque
La haine de papa pour ce méchant . . .

PASQUINOT, entrant à gauche
                                        Eh bien,
Que fait-on par ici, mademoiselle ?

SYLVETTE
                              Rien.   10
On se promène.

PASQUINOT

          Ici ! seule !   Mais malheureuse ! . . .
Vous n'avez donc pas peur ?

SYLVETTE

                    Je ne suis pas peureuse.

PASQUINOT

Seule près de ce mur ! . . .   Mais je vous le défend,
D'approcher de ce mur !   Mais, imprudente enfant,
Regarde bien ce parc : tu vois là le repaire
De mon vieil ennemi mortel ! . . .

SYLVETTE

Je sais, mon père.

PASQUINOT

Et tu viens t'exposer à des mots outrageants,   5
A des . . .   Sait-on de quoi sont capables ces gens ?
Si ce gueux, où son fils, connaissaient que ma fille
Vient seule rêvasser dessous cette charmille . . .
Oh ! rien que d'y penser, je me sens frissonner !
Mais je vais le barder, le caparaçonner,   10
Ce mur, le hérisser de fer pour qu'on s'éventre,
Qu'on s'empale, en voulant le franchir, et qu'on s'entre,
Rien qu'en s'en approchant, des pointes dans la chair.

SYLVETTE, à part

Il ne le fera pas, ça coûterait trop cher.
Il est un peu serré, papa.

PASQUINOT

Rentre, — un peu vite !   15

(Elle sort, il la suit des yeux d'un air courroucé.)

SCÈNE IV

BERGAMIN, PASQUINOT

BERGAMIN, parlant à la cantonade

Ce billet à monsieur Straforel, tout de suite.

PASQUINOT, court vivement au mur et y grimpe

Bergamin !

BERGAMIN, même jeu

Pasquinot !   (Ils s'embrassent.)

PASQUINOT

Comment va ?

BERGAMIN

Pas trop mal.

PASQUINOT

Ta goutte ?

BERGAMIN

Mieux.   Et ton coryza ?

PASQUINOT

L'animal

Me tient toujours.

BERGAMIN

Eh bien, c'est fait, le mariage !

PASQUINOT

Hein ?

BERGAMIN

J'ai tout entendu, caché dans le feuillage.
Ils s'adorent !

PASQUINOT

Bravo !

BERGAMIN

Brusquons le dénouement !   5
(Se frottant les mains.)

Ha ! ha ! tous les deux veufs, et pères mêmement,
Moi, d'un fils qu'une mère un peu trop romanesque
Appela Percinet . . .

PASQUINOT

Oui, c'est un nom grotesque.

BERGAMIN

Toi, d'un tendron rêveur, Sylvette, âme d'azur !
Quèl était notre but, le seul ?

PASQUINOT

Oter ce mur.   10

BERGAMIN

Pour vivre ensemble . . .

PASQUINOT

Et fondre en une nos deux terres.

BERGAMIN

Calcul de vieux amis . . .

PASQUINOT

Et de propriétaires !

BERGAMIN

Pour ce, que fallait-il ?

PASQUINOT

Marier nos enfants !

BERGAMIN

Les marier !   Oui, mais serions-nous triomphants,
S'ils avaient soupçonné nos désirs, notre entente ?   5
Mariage arrangé n'est pas chose tentante
Pour deux jeunes serins poétiques.   Aussi,
Profitant de ce qu'ils ont vécu loin d'ici,
Leur avons-nous caché tout projet d'hyménée.
Mais collège et couvent les lâchaient cette année ;   10
Lors, m'étant avisé que de les empêcher
De se voir, sûrement les ferait se chercher,
Que s'aimer en secret et d'un amour coupable
Leur plairait, — j'inventai cette haine admirable ! . . .
Vous doutiez du succès de ce plan inouï ?   15
Eh bien, nous n'avons plus qu'à dire nos deux oui.

PASQUINOT

Soit ! mais comment ? . . .   Comment, avec assez d'astuce,
Consentir sans leur mettre, à l'oreille, la puce ?
Moi qui t'appelais gueux, idiot . . .

BERGAMIN

Idiot ?

Gueux suffisait !   Ne dis que juste ce qu'il faut.

PASQUINOT

Quel prétexte ? . . .

BERGAMIN

Ah ! voilà ! — Mais ta fille elle-même
Vient de me suggérer l'ultime stratagème !
Tandis qu'elle parlait, mon plan se dessinait :   5
Ce soir, ils ont ici rendez-vous ; Percinet
Arrive le premier ; au moment où Sylvette
Paraît, des hommes noirs, surgis d'une cachette,
L'enlèvent ! elle crie !   Alors, mon jeune coq
Court sus aux ravisseurs, chamaille à coups d'estoc ;   10
Ils font semblant de fuir ; tu te montres ; j'arrive ;
Ta fille et son honneur sont saufs ; ta joie est vive ;
Tu bénis, laissant choir de tes yeux un peu d'eau,
L'héroïque sauveur ; je m'attendris : — tableau.

PASQUINOT

Ah ! ça, c'est génial ! . . .   Ah ! non ça, par exemple,   15
C'est génial ! . . .

BERGAMIN, modeste

Eh ! oui . . . proprement.   Chut ! contemple
Celui qui vient !   C'est Straforel, le spadassin,
A qui j'ai, tout à l'heure, écrit de mon dessein. . . .
Oui, notre enlèvement, c'est lui qui va le mettre
En scène.   20

(Straforel, dans un pompeux costume de spadassin, paraît au fond
et s'avance majestueusement.)

SCÈNE V

LES MÊMES, STRAFOREL

BERGAMIN, descendant du mur, et saluant

Hum !   Que d'abord je vous fasse connaître
Mon ami Pasquinot . . .

STRAFOREL, s'incline

Monsieur . . .

(En se relevant, il s'étonne de ne pas voir Pasquinot.)

BERGAMIN, le lui montrant à cheval sur la crête

Là, sur le mur.

STRAFOREL, à part

Exercice étonnant pour un homme aussi mûr.

BERGAMIN

Mon plan vous paraît-il, cher maître ? . . .

STRAFOREL

Élémentaire.

BERGAMIN

Oui, vous savez comprendre, agir vite . . .

STRAFOREL

Et me taire.   5

BERGAMIN

Simulacre de rapt, n'est-ce pas, combat feint ?

STRAFOREL

C'est tout compris.

BERGAMIN

Ayez d'adroits bretteurs, afin
Qu'ils n'aillent pas blesser mon garçonnet.   Je l'aime.
C'est mon unique enfant !

STRAFOREL

J'opérerai moi-même.

BERGAMIN

Ah ! très bien !   Dans ce cas, je ne saurais douter . . .

PASQUINOT, bas à Bergamin

Dis donc, demande-lui ce que ça va coûter.

BERGAMIN

Pour un enlèvement, que prenez-vous, cher maître ?

STRAFOREL

Cela dépend, monsieur, de ce qu'on veut y mettre.
On fait l'enlèvement un peu dans tous les prix.   5
Mais, dans le cas présent, et si j'ai bien compris,
Il ne faut pas compter du tout.   A votre place,
J'en prendrais un, monsieur, là, — de première classe !

BERGAMIN, ébloui

Ah ! vous avez plusieurs classes ?

STRAFOREL

                     Évidemment !
Songez que nous avons, monsieur, l'enlèvement   10
Avec deux hommes noirs, l'enlèvement vulgaire,
En fiacre, — celui-là ne se demande guère, —
L'enlèvement de nuit, l'enlèvement de jour,
L'enlèvement pompeux, en carrosse de cour,
Avec laquais poudrés et frisés, — les perruques   15
Se payent en dehors, — avec muets, eunuques,
Nègres, sbires, brigands, mousquetaires, au choix !
L'enlèvement en poste, avec deux chevaux, trois,
Quatre, cinq, — on augmente *ad libitum* le nombre, —
L'enlèvement discret, en berline, — un peu sombre, —   20
L'enlèvement plaisant, qui se fait dans un sac,
Romantique, en bateau, — mais il faudrait un lac !
Vénitien, en gondole, — il faudrait la lagune ! —

L'enlèvement avec ou sans le clair de lune,
— Les clairs de lune étant recherchés sont plus chers ! —
L'enlèvement sinistre aux lueurs des éclairs,
Avec appels de pied, combat, bruit de ferraille,
Chapeaux à larges bords, manteaux couleur muraille,   5
L'enlèvement brutal, l'enlèvement poli,
L'enlèvement avec des torches — très joli ! —
L'enlèvement masqué qu'on appelle classique,
L'enlèvement galant qui se fait en musique,
L'enlèvement en chaise à porteurs, le plus gai,   10
Le plus nouveau, monsieur, et le plus distingué !

BERGAMIN, se grattant la tête, à Pasquinot

Voyons, que penses-tu ?

PASQUINOT

Hon . . .   Et toi ?

BERGAMIN

Moi, je pense
Qu'il faut frapper très fort — tant pis si l'on dépense —
L'imagination ! . . .   Avoir de tout un peu ! . . .
Faire un enlèvement . . .

STRAFOREL

Panaché ?   Ça se peut.   15

BERGAMIN

Donnons-en pour longtemps à nos jeunes fantasques :
Chaise à porteurs, manteaux, torches, musique, masques !

STRAFOREL, prenant des notes sur un calepin

Nous prendrons, pour grouper ces divers éléments,
Une première classe, — avec des suppléments.

BERGAMIN

Soit !

STRAFOREL

Je vais revenir bientôt . . . (Montrant Pasquinot.) Mais il importe
Que monsieur, de son parc, entre-bâille la porte . . .

BERGAMIN

Il entre-bâillera.

STRAFOREL, saluant

Messieurs, mes compliments ! (Avant de sortir.)
Une première classe avec des suppléments !

SCÈNE VI

BERGAMIN, PASQUINOT

PASQUINOT

Avec tous ses grands airs, il s'en va, l'homme honnête,   5
Sans qu'on ait fait le prix !

BERGAMIN

Laisse, l'affaire est faite !
On abattra le mur.   Nous n'aurons qu'un foyer !

PASQUINOT

Et l'hiver, à la ville, ô douceur ! qu'un loyer !

BERGAMIN

Nous ferons dans le parc des choses ravissantes !

PASQUINOT

Nous taillerons les ifs !

BERGAMIN

Nous sablerons les sentes !   10

PASQUINOT

Nos chiffres, au milieu de chaque massif rond,
Bien calligraphiés, en fleurs, s'enlaceront !

BERGAMIN

Comme cette verdure est un peu trop sévère . . .

PASQUINOT

Nous allons l'égayer par des boules de verre !

BERGAMIN

Nous aurons des poissons dans un bassin tout neuf !   5

PASQUINOT

Nous aurons un jet d'eau faisant danser un œuf !
Nous aurons un rocher ! — Hein ! coquin, que t'en semble ?

BERGAMIN

Tous nos vœux sont comblés !

PASQUINOT

                                    Nous vieillirons ensemble !

BERGAMIN

Et ta fille est casée !

PASQUINOT

                              Ainsi que ton gamin !

BERGAMIN

Ah ! mon vieux Pasquinot !

PASQUINOT

                              Ah ! mon vieux Bergamin !   10

(Ils tombent dans les bras l'un de l'autre.)

SCÈNE VII

LES MÊMES, SYLVETTE, PERCINET, entrés brusquement,
chacun de son côté

SYLVETTE, voyant son père tenir Bergamin

Ah !

BERGAMIN, apercevant Sylvette, à Pasquinot

Ta fille !

PERCINET, voyant son père tenir Pasquinot

Ah !

PASQUINOT, apercevant Percinet, à Bergamin

Ton fils !

BERGAMIN, bas à Pasquinot

Battons-nous !

(Ils transforment l'embrassade en lutte à bras-le-corps.)

Ah ! canaille !

PASQUINOT

Ah ! gueux !

SYLVETTE, tirant son père par les basques de son habit

Papa ! . . .

PERCINET, même jeu, à Bergamin

Papa ! . . .

BERGAMIN

Laissez-nous donc, marmaille !

PASQUINOT

C'est lui qui m'insulta !

BERGAMIN

C'est lui qui me frappa.

PASQUINOT

Lâche !

SYLVETTE

Papa !

BERGAMIN

Filou !

PERCINET

Papa ! !

PASQUINOT

Brigand !

SYLVETTE

Papa ! ! !

(Ils réussissent à les séparer.)

PERCINET, entraînant son père

Rentre, il est tard !

BERGAMIN, essayant de revenir

Ma rage est à son paroxysme !

(Percinet l'emmène.)

PASQUINOT, même jeu avec Sylvette

J'écume !

SYLVETTE, l'emmenant

L'air fraîchit.   Pense à ton rhumatisme !

SCÈNE VIII

Le jour baisse insensiblement.   La scène reste vide un instant.
    Puis, dans le parc de Pasquinot entrent STRAFOREL et ses
    SPADASSINS, MUSICIENS, etc.

STRAFOREL

D'une étoile déjà le ciel clair s'étoila.
Le jour fuit . . . .   (Il place ses hommes.)

Mets-toi là. . . .   Mets-toi là. . . .   Mets-toi là. 5

Oui, l'heure du Salut déjà doit être proche :
Blanche, elle apparaîtra quand tintera la cloche ;
Alors, je sifflerai . . .   (Il regarde le ciel.)

      La lune ? . . .   C'est parfait !
Nous n'aurons pas manqué, ce soir, un seul effet !

   (Regardant les manteaux extravagants des spadassins.)

Excellents, les manteaux ! . . .   Que la colichemarde 5
Les retrousse un peu plus : appuyez sur la garde !

    (On apporte la chaise à porteurs.)

La chaise, ici, dans l'ombre.   (Regardant les porteurs qui sont noirs.)

       Ah ! les nègres, pas mal !

    (A la cantonade.)

Les torches, vous n'entrez, n'est-ce pas, qu'au signal ?

 (On voit le fond vaguement coloré de rose par les reflets des torches qui
restent derrière les arbres ; entrent des musiciens.)

Les musiciens ? — là ! sur fond de clartés roses . . .

    (Il les place au fond.)

De la grâce, du flou !   Variez donc les poses !   10
Debout, la mandoline !   Asseyez-vous, l'alto !
Comme dans le Concert champêtre de Watteau !

    (Sévère, à un spadassin.)

Premier homme masqué, que vois-je ?   On se dandine ?
Ça, de l'allure ! — Bien ! — Instruments, en sourdine,
Veuillez vous accorder. . . .   Oh ! très bien ! — Sol, mi, si ! 15

    (Il se masque.)

SCÈNE IX

LES MÊMES, PERCINET

PERCINET.   (Il entre lentement. A mesure qu'il déclame les vers suivants,
la nuit devient plus noire et le ciel s'étoile.)

Mon père s'est calmé. . . .   J'ai pu fuir jusqu'ici.
Le jour baisse. . . .   L'odeur des sureaux flotte et grise ! . . .
Les fleurs vont s'effaçant dans la pénombre grise . . .

STRAFOREL, bas aux violons

Musique !   (Les musiciens jouent doucement jusqu'à la fin de l'acte.)

PERCINET

Je me sens trembler comme un roseau.
Qu'ai-je donc ? . . .   Elle va venir !

STRAFOREL, aux musiciens

Amoroso ! . . .

PERCINET

Mon premier rendez-vous, le soir. . . .   Ah ! je défaille ! . . .
La brise fait le bruit d'une robe de faille . . .
On ne voit plus les fleurs . . . j'ai des larmes aux yeux . . .   5
On ne voit plus les fleurs . . . mais on les sent bien mieux !
Oh ! ce grand arbre, avec une étoile à son faîte ! . . .
Mais qui donc joue ainsi des airs ? — La nuit s'est faite, —

Oui, la douce nuit s'est faite, et voici
Qu'en l'azur foncé du ciel obscurci,   10
S'allumant partout, par là, par ici,
        Et l'une après l'une,
Tandis que l'étang est tout coassant,
Les étoiles vont en nombre croissant
Tout autour, autour du grêle croissant   15
        De la pâle lune !

Éclats de saphir et de diamant,
Étoiles, je fus longtemps votre amant,
Et je vous parlais, le soir, ardemment,
        Perdu dans la nue ! . . .   20
Mais ma poésie a changé de cours
Depuis que, tenant de naïfs discours,
Ses petits cheveux au front coupés courts
        Sylvette est venue !

Chers astres du ciel, astres familiers,
Vous êtes bien beaux, là-haut, par milliers
Mais allez, serez bien humiliés
     Quand parmi ses voiles,
Elle apparaîtra dans le bleu jardin,   5
Et voyant ses yeux, vous serez soudain
Pour vos propres feux prises de dédain,
     Mes pauvres étoiles !   (Une cloche sonne au loin.)

SCÈNE X

LES MÊMES, SYLVETTE, puis BERGAMIN, PASQUINOT

SYLVETTE, paraît au tintement de la cloche

Le Salut sonne.   Il doit m'attendre.

(Coup de sifflet, Straforel surgit devant elle, les torches apparaissent.)

Ah !

(Les spadassins l'enlèvent et la mettent vivement dans la chaise à porteurs.)

Au secours !

PERCINET

Juste ciel !

SYLVETTE

Percinet, on m'enlève !

PERCINET

J'accours !   10

(Il enjambe le mur, tire l'épée, et ferraille avec plusieurs spadassins.)

Tiens, — tiens, — tiens !

STRAFOREL, aux musiciens

Trémolo !

(Les violons élèvent un trémolo dramatique.   Les spadassins se sauvent.
Straforel, d'une voix de théâtre :)

Per Baccho !   C'est le diable

Que cet enfant !

(Duel entre Straforel et Percinet.   Straforel porte tout à coup la main à sa poitrine.)

Le coup . . . est irrémédiable !   (Il tombe.)

PERCINET, courant à Sylvette

Sylvette !

(Tableau.   Elle est dans la chaise à porteurs ouverte, lui à genoux.)

SYLVETTE

Mon sauveur !

PASQUINOT, surgissant

Le fils de Bergamin ! . . .
Ton sauveur ! . . . ton sauveur ? . . . Je lui donne ta main !

SYLVETTE et PERCINET

Ciel !

(Bergamin est entré de son côté, suivi de valets avec des flambeaux.)

PASQUINOT, à Bergamin qui paraît sur la crête du mur

Bergamin, ton fils est un héros ! . . .   Pardonne !
Et faisons leur bonheur !

BERGAMIN, solennel

Ma haine m'abandonne !

PERCINET

Sylvette, nous rêvons, Sylvette, parlons bas,   5
Que le bruit de nos voix ne nous réveille pas ! . . .

BERGAMIN

Les haines finiront toujours en hyménées.
La paix est faite.   (Montrant le mur.)
Il n'y a plus de Pyrénées !

PERCINET

Qui l'aurait cru qu'ainsi mon père changerait !

SYLVETTE, simplement

Quand je vous le disais que tout s'arrangerait !   10

(Tandis qu'ils remontent avec Pasquinot, Straforel se soulève et tend un papier
à Bergamin.)

BERGAMIN, bas

Hein ! Quoi donc ? ce papier, et votre signature !
Qu'est cela, s'il vous plaît ?

STRAFOREL, saluant

Monsieur, c'est ma facture ! (Il retombe.)

RIDEAU

DEUXIÈME ACTE

Même décor : le mur a disparu. Les bancs qui lui étaient adossés ont été repoussés à droite et à gauche. Menus changements, massifs de fleurs, kiosques de treillages, faux marbres prétentieux, serre. A droite, table de jardin, chaises.

SCÈNE PREMIÈRE

PASQUINOT, BLAISE, puis BERGAMIN

Au lever du rideau, Pasquinot, assis sur le banc de gauche, lit sa gazette.—
Blaise, au fond, ratisse.

BLAISE, ratissant

Donc, monsieur Pasquinot, ce soir vient le notaire ?..
Hé ! voici bien un mois que ce mur est par terre,
Et que vous vivez tous ensemble. Il était temps ;
Nos petits amoureux doivent être contents !

PASQUINOT, levant la tête et regardant autour de lui

Ça fait bien sans ce mur, hein, Blaise ?

BLAISE

C'est superbe ! 5

PASQUINOT

Oui, mon parc a gagné. Cent pour cent.
(Il se penche et tâte une touffe de gazon.)
Mais cette herbe
Est mouillée !... On a donc arrosé ce matin ?... (Furieux.)
Il ne faut arroser que le soir, vieux crétin !

BLAISE, placidement

C'est monsieur Bergamin qui m'en a donné l'ordre.

PASQUINOT

Ah ?... Ce bon Bergamin !... Il ne veut pas démordre 10
De son idée !... Il croit qu'arroser sans repos

33

Vaut mieux qu'arroser peu, mais bien, mais à propos !
Enfin ! . . .   (A Blaise.)

> Vous sortirez les plantes de la serre.

(Blaise aligne au fond des plantes qu'il va chercher dans la serre, Pasquinot lit, Bergamin
paraît au fond.)

BERGAMIN, arrosant les arbustes avec un énorme arrosoir

Ouf ! . . .   On leur donne d'eau juste le nécessaire !
Ce qui leur fait du bien, c'est ce superflu-là !   (A un arbre.)
Hein, mon vieux, tu mourrais de soif ? . . .   Tiens, en voilà   5
De l'eau . . . tiens, en voilà !   Moi, j'aime ça, les arbres.

(Posant son arrosoir, et regardant autour de lui avec satisfaction.)

Oui, mon parc a gagné. . . .   Très jolis, ces faux marbres,
Très, très. . . .   (Apercevant Pasquinot.)

> Bonjour.   (Pas de réponse.)

>> Bonjour ! !   (Pas de réponse.)

>>> Bonjour ! ! !   (Pasquinot lève la tête.)

>>>> Eh bien, j'attends ?

PASQUINOT

Oh ! mon ami, mais nous nous voyons tout le temps !

BERGAMIN

Ah ? — bien ! . . .   (Voyant les plantes que range Blaise.)

> Veux-tu rentrer ces plantes !

(Blaise, ahuri, les rentre précipitamment. Pasquinot lève les yeux au ciel, hausse les
épaules, et lit. Bergamin va et vient, l'air désœuvré, finit par s'asseoir à côté de
Pasquinot. Silence. Puis tout d'un coup, avec mélancolie :)

>> A cette heure,   10

Chaque jour je sortais, furtif, de ma demeure. . . .

PASQUINOT, rêveur, baissant sa gazette

Je filais de chez moi, subreptice et léger. . . .
C'était très amusant !

BERGAMIN

> Le secret !

PASQUINOT

>> Le danger !

BERGAMIN

Il fallait dépister Percinet ou Sylvette
Chaque fois qu'on venait tailler une bavette !

PASQUINOT

On risquait, chaque fois qu'on grimpait sur le mur
La casse d'une côte, ou le bris d'un fémur.

BERGAMIN

Nos conversations monoquotidiennes
Ne se pouvaient qu'au prix de ruses indiennes !

PASQUINOT

Il fallait se glisser sous les buissons épais. . . .
C'était très amusant !

BERGAMIN

     Quelquefois, je rampais . . .
Et, le soir, aux genoux, ma culotte était verte !

PASQUINOT

L'un de l'autre il fallait, sans fin, jurer la perte . . . 10

BERGAMIN

Et dire un mal affreux. . . .

PASQUINOT

     C'était très amusant ! (Bâillant.)
Bergamin ?

BERGAMIN, de même

  Pasquinot ?

PASQUINOT

     Ça nous manque, à présent.

BERGAMIN

Non, voyons ! . . . (Après réflexion.)
  Si, pourtant. Oh ! c'est très drôle ! — Est-ce que

Ce serait la revanche, ici, du Romanesque? . . .
(Silence.   Il regarde Pasquinot qui lit.)
Son gilet est toujours veuf de quelque bouton !
C'est crispant ! . . .   (Il se lève, s'éloigne, — va et vient.)

PASQUINOT, le regardant, par-dessus sa gazette, à part
Il a l'air d'un vaste hanneton
Qui virevolte, avec ses basques pour élytres.
(Il feint de lire quand Bergamin repasse devant lui.)

BERGAMIN, le regardant, à part
Il louche, quand il lit, ainsi que font les pitres   5
Après leur papillon.   (Il remonte en sifflotant.)

PASQUINOT, à part, nerveux
Il siffle ! . . . c'est un tic !   (Haut.)
Ne sifflote donc pas toujours, comme un aspic.

BERGAMIN, souriant
Nous distinguons le brin d'éteule aux yeux des autres,
Et nous ne sentons pas la solive, en les nôtres !
Vous avez bien vos tics. . . .

PASQUINOT
Moi ?

BERGAMIN
Vous vous dandinez, 10
Vous reniflez sans fin, Roi des Enchifrenés,
Le nez toujours noirci d'un vain sternutatoire,
Vous contez six-vingts fois par jour la même histoire.

PASQUINOT qui, assis, jambes croisées, balance son pied
Mais . . .

BERGAMIN
Vous ne pouvez pas un instant vous asseoir
Sans balancer le pied comme un gros encensoir,   15

A table, vous roulez votre mie en boulettes. . . .
Maniaque, mon cher, ah ! non, ce que vous l'êtes !

PASQUINOT

Oui, comme maintenant on s'ennuie à moisir,
De m'inventorier vous avez le loisir ;
Vous dénombrez mes tics, vous en dressez la liste.   5
Mais la vie en commun, cette grande oculiste,
Me désaveugle aussi !   Je vous vois ladre, faux,
Égoïste, et chacun de vos menus défauts
Grossit, — comme la mouche amusante et gentille
Devient un monstre affreux, monsieur, sous la lentille.   10

BERGAMIN

Ce dont je me doutais, maintenant j'en suis sûr !

PASQUINOT

Quoi ?

BERGAMIN

Le mur te flattait.

PASQUINOT

Tu perds beaucoup sans mur.

BERGAMIN

De te voir tous les jours tu calmas mon envie !

PASQUINOT, éclatant

Depuis un mois, monsieur, ce n'est plus une vie !

BERGAMIN, très digne

C'est bien, monsieur, c'est bien. Ce que nous avons fait,   15
Ce n'était pas pour nous, n'est-ce pas ?

PASQUINOT

En effet !

BERGAMIN

C'était pour nos enfants ! . . .

PASQUINOT, convaincu

Pour nos enfants, oui, certe ! . . .
Souffrons donc en silence, et supportons la perte
De notre liberté, sans soucis apparents.

BERGAMIN

Car, se sacrifier, c'est le sort des parents !

(Sylvette et Percinet paraissent à gauche, au fond, entre les arbres, et traversent
lentement la scène, enlacés, avec des gestes d'exaltés.)

PASQUINOT

Chut ! voici les Amants !

BERGAMIN, les regardant

Voyez-moi cette pose ! . . .   5
Semblent-ils pas marcher dans une apothéose ?

PASQUINOT

Depuis que l'aventure exauça tous leurs vœux,
Ils sentent des rayons mêlés à leurs cheveux !

BERGAMIN

C'est l'heure où copiant les attitudes lentes
Des Pèlerins d'Amour dans les Fêtes Galantes,   10
Ils viennent chaque jour, avec componction,
Sur le lieu du combat faire une station !

(Sylvette et Percinet qui ont disparu à droite, y reparaissent, à un plan plus
rapproché, et descendent en scène.)

Voici nos pèlerins.

PASQUINOT

S'ils brodent sur leur thème
Coutumier, cela vaut d'être écouté ! . . .

(Bergamin et Pasquinot se retirent derrière un massif.)

SCÈNE II

SYLVETTE, PERCINET ; — BERGAMIN et
PASQUINOT, cachés

PERCINET

Je t'aime ! . . .

SYLVETTE

Je vous aime. . . .   (Ils s'arrêtent.)
A l'endroit illustre nous voici !

PERCINET

Oui, c'est ici qu'eut lieu la chose.   C'est ici
Que tomba lourdement la brute transpercée !

SYLVETTE

Là, je fus Andromède !

PERCINET

Et là, je fus Persée !   5

SYLVETTE

Combien donc étaient-ils contre toi ?

PERCINET

Dix !

SYLVETTE

Oh ! . . . vingt !
Vingt au moins, sans compter ce grand dernier qui vint,
Et dont tu corrigeas l'humeur récalcitrante.

PERCINET

Oui, vous avez raison, ils étaient au moins trente

SYLVETTE

Ah ! redis-moi comment, dague au poing, flamme aux yeux, 10
Tu les frappas dans l'ombre, ô mon Victorieux !

PERCINET

Je ne sais si ce fut en sixte, ou bien en quarte. . . .
Mais ils tombaient, pareils aux capucins de carte !

SYLVETTE

Ami, si vos cheveux avaient été moins blonds,
J'aurais cru voir le Cid !

PERCINET

         Oui, nous nous ressemblons.

SYLVETTE

Il manque à nos amours d'être mis en poème.   5

PERCINET

Sylvette, ils le seront !

SYLVETTE

     Je vous aime.

PERCINET

           Je t'aime !

SYLVETTE

C'est du rêve vécu ! . . .   Je m'étais tant juré
D'épouser le héros follement rencontré,
Et pas le bon petit fiancé des familles ! . . .

PERCINET

Ah?

SYLVETTE

     Non, non, pas celui qu'on offre aux jeunes filles,   10
Le doux monsieur que cherche à marier sa sœur,
Ou quelque digne abbé, son digne confesseur.

PERCINET

Tu n'aurais surtout pas épousé, que j'espère,
L'inévitable fils d'un ami de ton père !

SYLVETTE, riant

Ah! non!... Remarques-tu que mon père et le tien
Sont depuis quelques jours d'une humeur...

PERCINET

Oui, de chien.

BERGAMIN, derrière le massif

Hum!

PERCINET

Et je sais pourquoi leur bonne humeur s'altère.

BERGAMIN, derrière le massif

Ah?

PERCINET

Mais oui! notre envol vexe leur terre-à-terre.
Je respecte beaucoup mon père, — et ton auteur ;   5
Mais ce sont bons bourgeois pas très à la hauteur.
Notre éclat les relègue un peu dans les ténèbres.

PASQUINOT, derrière le massif

Hein?

SYLVETTE, de même

Les voilà passés pères d'amants célèbres !

PERCINET, riant

Mon panache excessif leur devient importun.

SYLVETTE

Ton père a devant toi la gêne obscure d'un...   10
Je ne sais si je peux dire ?

PERCINET

Tu peux, espiègle !

SYLVETTE

D'un canard ayant fait la couvaison d'un aigle !

BERGAMIN, *derrière le massif*

Ho ! ho !

SYLVETTE, *riant plus fort*

     Pauvres parents, notre amour clandestin,
Comme il se joua d'eux ! . . .

PASQUINOT, *derrière le massif*

        Hé ! hé !

PERCINET

                Oui, le Destin
Joint toujours les Amants par d'imprévus méandres,
Et le hasard se fait le Scapin des Léandres !

BERGAMIN, *derrière le massif*

Ha ! ha !

SYLVETTE

     Et donc, ce soir, le contrat, nous allons   5
Le signer !

PERCINET, *remontant*

    Et je vais mander les violons !

SYLVETTE

Allez vite !

PERCINET

    Je cours !

SYLVETTE, *le rappelant*

       Tenez, je suis gentille,
Et je vais vous mener, monsieur, jusqu'à la grille.
(*Ils remontent enlacés. Sylvette minaudant.*)
Nous égalons, je crois, les plus fameux Amants.

PERCINET

Oui, nous serons parmi ces Immortels Charmants :   10
Roméo, Juliette, — Aude et Roland . . .

SYLVETTE

               Aminte

Et son pâtre !

PERCINET

Pyrame et Thisbé !

SYLVETTE

Mainte et mainte

Encore . . . (Ils sont sortis.   On entend leurs voix s'éloigner parmi les arbres.)

LA VOIX DE PERCINET

Francesca, tu sais, de Rimini !

Et Paolo . . .

LA VOIX DE SYLVETTE

Pétrarque et Laure . . .

BERGAMIN, sortant du massif

As-tu fini ?

SCÈNE III

PASQUINOT, BERGAMIN

PASQUINOT, gouailleur

Le succès de ton plan, monsieur l'homme sagace,
Répond à ton espoir, et même il le dépasse !   5
Résultat qui sans doute était prévu par vous,
Cher maître : nos enfants sont complètement fous !

BERGAMIN

Il est clair que ta fille est assez énervante
Avec son fameux rapt, que sans cesse elle vante !

PASQUINOT

Et ton fils, qui se croit un héros, prend des airs   10
Qui ne me portent pas moindrement sur les nerfs !

BERGAMIN

Mais le plus irritant, c'est qu'ils nous représentent,
Comme deux bons bourgeois dupés, qu'ils nous plaisantent

Sur notre aveuglement voulu, sur ce que nous
Ne surprîmes jamais un de leurs rendez-vous !
C'est bête, si tu veux, mais enfin, ça m'agace.

PASQUINOT

Avais-tu prévu ça, monsieur l'homme sagace ?
Grâce à toi, ton moutard tient d'insanes propos,   5
Et se croit le premier des moutardiers papaux.

BERGAMIN

Moutardier dont au nez me monte la moutarde !

PASQUINOT

Je vais tout leur conter, sans plus tarder.

BERGAMIN

                              Non, tarde !
Il ne faut pas aller leur dire tout de go ;
On parlera sitôt après le conjungo ;   10
Jusqu'aux derniers accords des nuptiales harpes
Sachons leur opposer un mutisme de carpes.

PASQUINOT

Soit, mais nous voilà pris nous-mêmes dans nos rets,
Grâce à ton fameux plan.

BERGAMIN

                     Mon cher, tu l'admirais !

PASQUINOT

Ah ! il était joli, ton plan !

BERGAMIN, à part

                         Il m'exaspère !   15

SCÈNE IV

LES MÊMES, SYLVETTE

(Elle entre gaiement, une branche fleurie à la main, dont elle fait à la cantonade
des signes à Percinet qu'elle vient de quitter, puis elle descend entre les
deux pères.)

SYLVETTE

Bonjour, mon cher papa.   Bonjour, futur beau-père !

BERGAMIN

Bonjour, future bru !

SYLVETTE l'imitant

Bonjour, future bru !
Oh ! comme vous avez ce matin l'air bourru !

BERGAMIN

C'est Pasquinot qui me . . . qui me . . .

SYLVETTE, lui agitant sa branche sous le nez

Chut ! chut ! du calme !
Je viens comme la paix, — et j'agite une palme !   5
Vous vous boudez encore un peu ?   C'est bien permis :
Pouvez-vous vous aimer comme deux vieux amis ?

PASQUINOT, à part

Ironie ! . . .

BERGAMIN, haut, gouailleur

Oui, c'est vrai ; notre haine fut telle
Qu'on ne peut . . .

SYLVETTE

Songez donc : une haine mortelle !
Oh ! quand je me souviens de ce que vous disiez   10
De papa, bien souvent, là, parmi vos rosiers,
Sans vous douter que moi j'entendais tout, assise
Derrière le bon mur . . .

BERGAMIN, à part

Elle est d'une bêtise !

SYLVETTE, à Pasquinot

Car je venais ici chaque jour, vous savez,
Retrouver Percinet ! — Dire que vous n'avez
Jamais eu de soupçons !

PASQUINOT, ironique

Oh ! pour ça, que je meure,
Si . . .

SYLVETTE

Nous venions pourtant toujours à la même heure.   5

(A Bergamin.)

Ha ! ha !   J'entends encor Percinet vous crier,
Le jour même du rapt : "Je veux me marier
De la façon la plus romanesquement folle !"
Eh ! dame, dites donc, il a tenu parole !

BERGAMIN, vexé

Vraiment ? . . .   Et vous croyez que si j'avais voulu ? . . .   10

SYLVETTE

Ta ! ta ! ta !   Je le sais, pour l'avoir cent fois lu :
Les rêves des Amants toujours se réalisent,
Et les pères, toujours, tôt ou tard, s'humanisent,
Contraints par quelque étrange et fol événement
Qui force, à point nommé, leur attendrissement.   15

PASQUINOT

Qui force, à point nommé ? . . .   Non, non, laissez-moi rire !

SYLVETTE

Mais, nous l'avons prouvé ! . . .

BERGAMIN

Si je voulais vous dire . . .

SYLVETTE

Quoi ?

BERGAMIN

Rien !

SYLVETTE, à Bergamin

Alors, pourquoi prenez-vous cet air fin ?

BERGAMIN

Mais, parce que ... (A part.)

Ho ! ... c'est agaçant, à la fin !

PASQUINOT

Quand on pourrait d'un mot ... (Remontant.)

Mais gardons le mystère !

SYLVETTE

Quand on n'a rien à dire, il le faut bien, se taire !

PASQUINOT, éclatant

Rien à dire !   La folle !   Alors, vous croyez ça,   5
Que tout se passe ainsi que cela se passa ? ...
Qu'on envahit les parcs malgré les bonnes grilles ? ...

BERGAMIN

Vous croyez qu'on enlève encor les jeunes filles ?

SYLVETTE

Si je crois ?   Que dit-il ?

BERGAMIN, se montant

Moi, je dis qu'en voilà
Assez !   Qu'il était temps que tout se dévoilât ! ...   10
Oui, depuis que le monde est monde entre les mondes,
Le succès fut toujours pour les perruques blondes ;
Bartholo, dont la haine en secret s'aviva,
Dut toujours s'incliner devant Almaviva ;

Mais l'heure du triomphe et des justes revanches
Vient enfin de sonner, pour les perruques blanches !

SYLVETTE

Mais . . .

PASQUINOT

              Jadis, nous étions, nous autres, les papas,
Cassandre, Orgon, Géronte, Argante, n'est-ce pas ?
Vous en êtes restée à ces vieilles badernes ? . . .   5
Mais on n'en trouve plus chez les pères modernes !
Les dupés d'autrefois sont dupeurs à leur tour.
L'ordre donné par nous de vous aimer d'amour,
Ni vous ni Percinet n'eussiez voulu l'entendre ?
Ce fut donc bien joué que de vous le défendre !   10

SYLVETTE

Mais alors, vous saviez peut-être . . .

PASQUINOT

                            Sûrement !

SYLVETTE

Nos duos ?

BERGAMIN

          J'écoutais leur doux susurrement !

SYLVETTE

Les bancs où nous grimpions ? . . .

PASQUINOT

                    Tout exprès nous les mîmes !

SYLVETTE

Le duel ?

BERGAMIN

      Simple jeu !

SYLVETTE

                Les spadassins ?

PASQUINOT

Des mimes !

SYLVETTE

Mon rapt ? — Oh ! ça, c'est faux ! . . .

BERGAMIN, fouillant dans sa poche

C'est faux ?   Quand justement

J'ai la facture, là, de votre enlèvement !

SYLVETTE, la lui arrachant

Ah ! donnez ! . . .   (Elle lit.)

" Straforel, maison de confiance,
Un faux rapt, mis en scène, afin que l'on fiance ! . . ."   5
— Ah ! — *"Huit sombres manteaux à cinq francs le manteau.*
Huit masques . . ."

BERGAMIN, à Pasquinot

Nous avons, je crois, parlé trop tôt !

SYLVETTE, lisant

" Une chaise à porteurs, soignée, à coussins roses.
Création nouvelle . . ."   (Haut, ironiquement.)

On a bien fait les choses !

(Elle jette la facture en riant sur la table.)

PASQUINOT, surpris

Elle n'est pas fâchée ?

SYLVETTE, avec bonne grâce

Ah ! le tour est charmant !   10

Mais c'est beaucoup d'esprit bien inutilement ;
Cher monsieur Bergamin, croyez-vous que si j'aime
Mon Percinet, c'est grâce à votre stratagème ?

PASQUINOT

Elle le prend très bien.

BERGAMIN, à Sylvette

Vous le prenez très bien !

PASQUINOT

Mais alors . . . on peut dire à Percinet ? . . .

SYLVETTE, vivement

Oh ! rien ! —
Non, ne lui dites rien ! . . .   Les hommes, c'est si bête !

BERGAMIN

Quel bon sens ! voyez-vous cette petite tête ! . . .
Et moi qui la croyais . . .   (Tirant sa montre.)

Mais le contrat, pardon, —
Allons nous préparer . . .   (Tendant la main à Sylvette.)

Bons amis ?

SYLVETTE

Comment donc !   5

BERGAMIN, se retournant encore avant de sortir

Vous ne m'en voulez pas du tout ?

SYLVETTE, tout miel

Je vous l'atteste.
(Pasquinot et Bergamin sortent, — avec une rage froide.)

Ce monsieur Bergamin, comme je le déteste ! . . .

SCÈNE V

SYLVETTE, PERCINET

PERCINET, entrant épanoui

Ah ! vous êtes encore ici ? . . .   Je comprends ça.
Vous ne pouvez quitter l'endroit où se passa
Toute cette aventure inouïe ! . . .

SYLVETTE, assise sur le banc, à gauche

Inouïe,

En effet !   10

PERCINET

C'est de là que, presque évanouie,
Vous me vîtes combattre, ainsi qu'un Amadis,
Ces trente spadassins . . .

SYLVETTE

Mais non, ils étaient dix.

PERCINET, se rapprochant

Chère, mais qu'avez-vous ?   Mais quoi donc vous attriste ?
Ces yeux où du saphir fond dans de l'améthyste,   5
Ils semblent obscurcis par quelque ennui, ces yeux ?

SYLVETTE, à part

Son langage est parfois un peu prétentieux.

PERCINET

Ah ! tenez, je comprends tout ce qu'en vous suscite
De regrets attendris, cet adorable site ! . . .
Vous pleurez le vieux mur aux feuillages grimpeurs,   10
Témoin de nos espoirs, jadis, et de nos peurs ;
Mais il n'est pas détruit, la gloire le couronne. . . .
Est-ce qu'il est détruit, le balcon de Vérone ?

SYLVETTE, impatientée

Ah !

PERCINET

Ne laisse-t-il pas, dans un vent toujours frais,
Ce balcon toujours blanc, trembler sans fin, auprès   15
D'un grenadier jamais défleuri, son échelle
Inusable, que dore une aurore immortelle ?

SYLVETTE

Oh !

PERCINET, de plus en plus lyrique

L'éternel duo fait l'éternel décor !
C'est pourquoi, démoli, le mur se dresse encor,

Sur lequel a poussé, folle propriétaire,
Notre amour merveilleuse . . .

SYLVETTE, à part

Il ne va pas se taire !

PERCINET, avec un sourire plein de promesses

Mais le vœu fut par vous tout à l'heure exprimé
De voir sur notre histoire un poème rimé . . .
Donc, ce poème . . .

SYLVETTE, inquiète

Eh bien ?

PERCINET

Moi-même, je le rime.   5

SYLVETTE

Tu sais faire des vers ?

PERCINET

Pouh ! . . .   Savais-je l'escrime ?
— Écoute mon début, que j'ai fait en marchant.
" *Les Pères Ennemis.*"   Poème.

SYLVETTE

Oh ! . . .

PERCINET, se campant pour déclamer

Premier chant !

SYLVETTE

Oh ! . . .

PERCINET

Qu'as-tu ?

SYLVETTE

Le bonheur . . . les nerfs . . . une faiblesse . . .
(Fondant en pleurs.)
Laissez-moi me remettre, un instant.   10
(Elle lui tourne le dos, assise sur le banc, et se cache le visage dans son mouchoir.)

PERCINET, un moment stupéfait

Je vous laisse.

(Puis, à part, avec un sourire avantageux :)

Un jour comme aujourd'hui, ce trouble est naturel !

(Il passe à droite, aperçoit sur la table le papier de la facture, et tirant vivement
un crayon de sa poche, s'assied en disant :)

Notons toujours mes vers.

(Il prend le papier, s'apprête à écrire — mais s'arrête, le crayon levé, et lit :)

"*Avoir, moi, Straforel,*

Feint de choir, transpercé d'une lame ignorante, —

Habit froissé : dix francs ; amour-propre : quarante."   5

(Souriant.)

Qu'est cela ?

(Il continue tout bas.   Le sourire s'efface.   L'œil s'exorbite.)

SYLVETTE, toujours sur le banc, s'essuyant les yeux

S'il savait, qu'il tomberait de haut !

— J'ai failli me trahir.   Prenons garde !

PERCINET, se levant

Ho ! — ho ! — ho !

SYLVETTE, se retournant vers lui

Que dites-vous ?

PERCINET, escamotant la facture

Moi ? rien, rien !

SYLVETTE, à part

Son erreur me navre.

PERCINET, à part

C'est pour ça qu'on n'a pas retrouvé le cadavre !

SYLVETTE, à part, se levant

Il a l'air de bouder.   Rapprochons-nous de lui.   10

(Elle tourne un moment, puis, voyant qu'il ne bouge pas, — coquettement :)

Vous ne m'avez rien dit de ma robe aujourd'hui ?

PERCINET, négligemment

Le bleu ne vous va pas.   Je vous préfère en rose.

SYLVETTE, à part, saisie

Le bleu ne me va pas.   Saurait-il quelque chose?
(Regardant la table.)
Mais la facture, au fait, j'ai dû la mettre là!

PERCINET, la voyant qui cherche

Qu'avez-vous à tourner, voyons, comme cela?

SYLVETTE

Rien...   (A part.)
Un papier, le vent, quelquefois, le dérobe.   5
(Haut, faisant bouffer sa jupe.)
Rien... je tournais pour voir comment me va ma robe!...
(A part.)
Je saurai bien s'il l'a trouvée.   (Haut.)
Hum!...   Tu voulais
Dire tantôt des vers sur nos amours?
(Mouvement de Percinet.   Elle lui prend le bras, et, bien gentiment:)
Dis-les.

PERCINET

Ah! non!

SYLVETTE

Dis-les, ces vers...

PERCINET

Non!

SYLVETTE, ironique
Sur notre aventure!

PERCINET

Ils sont mauvais, tu sais....   Je n'ai pas...

SYLVETTE
La facture?   10

PERCINET

Non, je n'ai pas la fact . . .   (Sursautant et la regardant.)

Pardon, mais . . .

SYLVETTE

Mais, pardon . . .

PERCINET

Ah ! mais elle sait donc ? . . .

SYLVETTE, de même

Il sait donc ?

TOUS LES DEUX, ensemble

Tu sais donc ?

(Un temps, puis ils éclatent de rire.)

Ha ! ha ! ha ! . . .

PERCINET

N'est-ce pas que c'est drôle ?

SYLVETTE

Très drôle !

PERCINET

Non, vraiment, on nous fit jouer un rôle . . .

SYLVETTE

Un rôle !

PERCINET

Nos pères étaient donc bons amis ?

SYLVETTE

Bons voisins.   5

PERCINET

Ma parole, ils devraient être même cousins.

SYLVETTE, faisant la révérence

J'épouse mon cousin !

PERCINET

J'épouse ma cousine !

SYLVETTE

C'est gentil ! . . .

PERCINET

C'est classique !

SYLVETTE

Ah ! certe, on imagine
Des mariages plus . . .   Mais, c'est si bon de voir
Que l'on conciliait l'amour — et le devoir !

PERCINET

Et l'intérêt !   Car ces deux parcs, leurs dépendances . . .

SYLVETTE

Excellent mariage, enfin, de convenances.   5
— Elle est loin, notre pauvre idylle sur le mur.

PERCINET

Il ne faut plus parler d'idylle, c'est bien sûr !

SYLVETTE

Je rentre dans le rang banal des jeunes filles.

PERCINET

Je suis le bon petit fiancé des familles . . .
Et c'est en Roméo, Sylvette, que je plus !   10

SYLVETTE

Ah !   Roméo, c'est clair que vous ne l'êtes plus !

PERCINET

Est-ce que vous croyez être encor Juliette ?

SYLVETTE

Vous devenez amer.

PERCINET

Dame ! et vous . . . aigrelette.

SYLVETTE

Si vous avez été ridicule, eh ! mon Dieu !
Est-ce ma faute à moi ?

PERCINET

Si je le fus un peu,
Je ne le fus pas seul ! . . .

SYLVETTE

. Eh bien, soit ! nous le fûmes ! —
Ah ! mon pauvre Oiseau Bleu, bien déteintes, vos plumes !

PERCINET, *ricanant*

Ha ! . . . un simili-rapt !

SYLVETTE

De pseudo-coups d'estoc ! . . . 5

PERCINET

Fi ! la fausse enlevée !

SYLVETTE

Hou ! le sauveur en **toc** !
— Ah ! notre poésie était une risée !
C'est ainsi qu'en crevant, belle bulle irisée,
Tu n'es plus, disparue à nos yeux étonnés,
Qu'un peu d'eau de savon qui nous pleut sur le nez !   10

PERCINET

Donc, Amant dont je fus le plus vil des émules,
Amante dont, indigne, elle chaussa les mules,
O pâle et noble couple, ô couple shakspearien,
Nous n'avions avec vous de commun, rien, rien . . .

SYLVETTE

Rien !

PERCINET

Donc, au lieu de jouer le cher et divin drame,
Nous en avons joué la parodie infâme !

SYLVETTE

Donc, c'était un serin que notre rossignol !

PERCINET

Donc, il était, le mur immortel, un Guignol !
Et quand nous y venions, chaque jour, apparaître,   5
Chaque jour, à mi-corps, nous étions, au lieu d'être
Deux parangons d'amour aux types éternels,
Deux pantins qu'animaient les gros doigts paternels !

SYLVETTE

C'est vrai !   Mais nous serions grotesques davantage,
Si nous nous aimions moins !

PERCINET

                              Aimons-nous avec rage ! —   10
Nous sommes obligés de nous aimer, d'abord !

SYLVETTE

Mais, nous nous adorons ! . . .

PERCINET

                              Le mot n'est pas trop fort !

SYLVETTE

L'amour peut consoler très bien d'un tel désastre !
N'est-ce pas, mon trésor ?

PERCINET

                              Certainement, mon astre !

SYLVETTE

Bonjour donc, ma chère âme !

PERCINET

Et bonsoir, ma beauté !

SYLVETTE

Je vais rêver à vous, mon cœur, — de mon côté !

PERCINET

Et moi du mien.   Bonjour !

SYLVETTE

Bonsoir !   (Elle sort.)

PERCINET

Ah ! par exemple ! . . .
Ah ! l'on me traite ainsi ! . . .   Mais quel est, dans cet ample
Manteau, qui laisse voir cet étrange pourpoint,   5
Ce monsieur moustachu que je ne connais point ? . . .

(Straforel, qui est entré sur ces vers, descend majestueusement en scène.)

SCÈNE VI

PERCINET, STRAFOREL

PERCINET

Qu'est-ce ?

STRAFOREL, souriant

C'est pour toucher une petite somme.

PERCINET

Un fournisseur ?

STRAFOREL

Tout juste !   Allez donc, bon jeune homme,
Dire à votre papa que j'attends.

PERCINET

Votre nom ?

STRAFOREL

Mon nom est Straforel.

PERCINET, bondissant

Lui, maintenant ?   Ah ! non !
Ah ! non ! ceci devient par trop intolérable !

STRAFOREL, souriant

Tiens, tiens ! vous savez donc, jeune homme ?

PERCINET, lui jetant la facture qu'il tire chiffonnée de sa poche

Misérable !
C'était toi !

STRAFOREL

Mon Dieu ! oui, c'était moi : per Baccho !

PERCINET

Oh ! rencontrer cet homme !   Oh ! je fuirais jusqu'au   5
Bout du monde. . . .

STRAFOREL, satisfait

Et je suis tellement gras et rose
Que la citation, il me semble, s'impose :
" Les gens que vous tuez se portent . . ."

PERCINET, se ruant sur lui l'épée à la main

Tu vas voir !

STRAFOREL, parant avec son bras, tranquille comme un maître d'armes qui
donne la leçon

La main haute ! . . . le pied en dehors !   N'en savoir
Pas plus long à votre âge, eh ! monsieur, c'est un crime !   10
(D'un tour de main il lui enlève son épée, — et la lui rendant, dans un salut.)
Quoi ! vous cessez déjà votre leçon d'escrime ?

PERCINET, exaspéré, la reprenant

Ah ! je pars ! . . .   On me traite en enfant : bien ! j'aurai
Ma revanche !   J'aurai du roman, et du vrai !

Je vais par des amours et des duels sans nombre
Scandaliser, ô Don Juan, jusqu'à ton ombre !
— Et je vais enlever des filles d'opéra !

(Il sort en courant, l'épée brandie.)

STRAFOREL

Très bien !... Mais, maintenant, est-ce qu'on me paiera ?

SCÈNE VII

STRAFOREL, BERGAMIN, PASQUINOT

STRAFOREL, regardant dans la coulisse

Hé ! là-bas ! Arrêtez !... En voici bien d'une autre ! 5

(Entrent Bergamin et Pasquinot, décoiffés, déchirés comme après une lutte.)

PASQUINOT, se rajustant et rendant à Bergamin sa perruque

Voici votre perruque !

BERGAMIN

Ouf ! Et voici la vôtre !

PASQUINOT

Vous comprenez qu'après de pareils procédés !...
Voici votre jabot. . . .

BERGAMIN, d'une voix sifflante

Et vous me concédez
Que revivre avec vous serait un sacrifice
Trop grand pour qu'au bonheur de mon fils, je le fisse ! 10

PASQUINOT, voyant entrer Sylvette

Ma fille !... Cachons-lui d'abord ce qu'il en est !...

SCÈNE VIII

LES MÊMES, SYLVETTE, puis BLAISE, LE NOTAIRE, LES TÉMOINS, VIOLONS et INVITÉS

SYLVETTE, se jetant au cou de son père

Papa, je ne veux plus épouser Percinet ! . . .

(Entrent le notaire pour le contrat, et des bourgeois endimanchés, témoins.)

BERGAMIN

Les témoins ! . . . le notaire ! . . .   Au diable !

LES TÉMOINS, ahuris

Hein ?

LE NOTAIRE, avec dignité

Ces paroles ! . . .

STRAFOREL, au milieu du tumulte, ayant ramassé la facture jetée par Percinet

Ma facture ! . . . payez ! . . . quatre-vingt-dix pistoles ! . . .

(Entrent des invités et trois violons jouant un menuet.)

BERGAMIN, hors de lui, les bousculant

Les violons ! . . .   Au diable !

(Les violons continuent automatiquement leur menuet.)

STRAFOREL, impatienté, à Bergamin

Eh bien ! . . .   Je tends la main ?

BERGAMIN

Parlez à Pasquinot !

PASQUINOT

Parlez à Bergamin !

5

STRAFOREL, soulignant les mots de la facture

" *Un faux rapt, mis en scène, afin que l'on fiance !* . . ."

BERGAMIN

Ils sont défiancés !   Donc, cela me dispense
De payer.

STRAFOREL, à Pasquinot

Mais, monsieur . . .

PASQUINOT

Que je vous donne un sol
Maintenant que tout est rompu ? — Vous êtes fol !

BERGAMIN, à qui Blaise vient de venir parler bas

Mon fils ! . . . parti ! . . .

SYLVETTE, saisie

Parti ? . . .

STRAFOREL, qui remontait, s'arrête et la regarde

Tiens ! tiens !

BERGAMIN

Courez ! en chasse !

(Il sort en courant, suivi du notaire et des invités.)

SYLVETTE, très émue

Parti !

STRAFOREL, redescendant en l'observant toujours

S'il se pouvait que je rabibochasse
Ensemble ces mignons . . . eh ! peut-être . . .

SYLVETTE, tout d'un coup furieuse

Parti ? 5

Ah ! ça c'est un peu fort ! (Elle sort suivie de Pasquinot.)

STRAFOREL, triomphant

Straforel, mon petit,
Pour te faire payer tes nonante pistoles,
Ce mariage, il faut que tu le rafistoles !

(Il sort. Les trois violons restés seuls au milieu de la scène jouent toujours leur menuet.)

RIDEAU

TROISIÈME ACTE

Même décor. On a apporté des matériaux pour la reconstruction du mur, qui est commencée au fond. Sacs de plâtre. Outils de maçons.

SCÈNE PREMIÈRE

BERGAMIN, PASQUINOT, UN MAÇON

Chacun de son côté, ils inspectent les travaux. — Le maçon, accroupi, travaille, le dos tourné au public.

LE MAÇON, chante en travaillant

Tra laï deluriau. . . .

BERGAMIN

Ces ouvriers sont longs !

LE MAÇON

Deluriau, de lurot . . .

PASQUINOT, suivant ses mouvements avec satisfaction

C'est cela ! des moellons !

BERGAMIN, même jeu

Pouf ! un tas de mortier !

PASQUINOT

Paf ! un coup de truelle !

LE MAÇON, faisant des roulades

Deluriau, delurie — ue — ue — ue — ue — ue — uel — le

PASQUINOT, redescendant

Belle voix ! mais travail bien lent ! . . .

5

BERGAMIN, *redescendant aussi, avec un bonheur agressif*

>   Ha! ha! voici

Un pan de commencé!   Bon!

PASQUINOT, *frappant du pied l'endroit non encore construit*

>   Demain même, ici,

Le mur va de deux pieds sortir de terre! — O joie!

BERGAMIN, *lyrique*

O cher mur, que bientôt, debout, je te revoie!

PASQUINOT

Que dites-vous, monsieur?

BERGAMIN

>   Je ne vous parle pas.   5
>   (Un temps.)

Que faites-vous le soir après votre repas?

PASQUINOT

Rien . . .   Et vous?

BERGAMIN

>   Rien non plus.
> (Un temps. — Ils se saluent, et se promènent.

PASQUINOT, *s'arrêtant*

>   Alors pas de nouvelles

De votre fils?

BERGAMIN

>   Mais non.   Il court toujours.

PASQUINOT, *poli*

>   Les belles

Le désargenteront promptement, — et, bien sûr,
Il reviendra.

BERGAMIN

>   Merci.   (*Ils se saluent, et se promènent.   Un temps.*)   10

PASQUINOT, s'arrêtant

Maintenant que le mur
Se relève, monsieur, je veux bien vous permettre
De venir quelquefois, — en voisin.

BERGAMIN

Bien.   Peut-être
Vous ferai-je l'honneur . . .   (Ils se saluent.)

PASQUINOT, brusquement

Eh bien ! mais, dites donc,
Venez faire un piquet ?

BERGAMIN, suffoqué

Ah ! oh ! hé ! . . . mais pardon,   5
Je ne sais si je peux . . .

PASQUINOT

Puisque je vous invite.

BERGAMIN

Mon Dieu ! . . .   J'aimerais mieux un bésigue.

PASQUINOT

Allons vite !

BERGAMIN, sortant derrière lui

Vous me deviez dix sous de la dernière fois.
(Se retournant.)
Travaillez bien, maçon !

LE MAÇON, de toutes ses forces

Tralaï ! . . .

PASQUINOT

Belle voix !   (Ils sortent.)

SCÈNE II

STRAFOREL, puis SYLVETTE

Dès qu ils sont sortis, le maçon se retourne, ôte son chapeau ; c'est Straforel.

STRAFOREL

Oui, maçon, je le suis, — puisque sous ce grimage,
Je m'introduis céans pour faire un replâtrage !

(S'asseyant sur le mur commencé.)

Le jeune homme est toujours au pourchas du roman ;
Mais on peut deviner, sans être nécroman,
Qu'il reviendra bredouille et n'en menant plus large ;   5
Donc, tandis que la Vie elle-même se charge,
Lui donnant de réel un salutaire bain,
De décoquebiner un peu ce coquebin,
Et de le renvoyer ici tirant de l'aile, —
Moi, par une action savante et parallèle,   10
Je travaille à guérir des goûts aventureux
Sylvette. — Straforel, homme aux talents nombreux,
Vous jouâtes souvent les marquis et les princes,
Du temps où vous étiez sifflé dans les provinces !
Ceci va nous servir.

(Il tire de sa souquenille une lettre qu'il met dans l'ouverture moussue d'un
tronc d'arbre.)

                         Ah ! quel remerciement,   15
Pères, vous me devrez !   (Apercevant Sylvette.)
                         C'est elle ! — A mon ciment !

(Il se remet à gâcher et disparaît derrière le mur.)

SYLVETTE apparaît, furtive, regarde si on la guette, puis

Non, personne ! . . .

(Elle pose sur le banc de gauche sa mante de mousseline.)

                         Aujourd'hui, trouverai-je la lettre ?

(Elle va vers un arbre.)

Tous les jours un galant inconnu vient en mettre

Une, là, — dans ce tronc par la foudre entr'ouvert,
Et qui fait une boîte aux lettres peinte en vert !...

(Elle plonge la main dans le creux de l'arbre.)

Oui, voilà mon courrier.   (Elle lit.)

"Sylvette, cœur de marbre !
C'est le dernier billet que produira cet arbre.
Pourquoi n'avez-vous pas, tigresse, répondu   5
Au poulet que pour vous chaque jour j'ai pondu ?"
— Hein ! quel style !

"L'amour qui dans mon âme gronde . . ."

(Elle chiffonne nerveusement la lettre.)

Ah ! monsieur Percinet s'en va courir le monde !
Il a raison ! — Et moi je ferai comme lui !
Croit-on que je m'en vais mourir ici d'ennui !   10
— Mais qu'il vienne celui qui m'écrivit ces choses !
Que de ces verts buissons pleins de nids et de gloses
Il surgisse soudain ! — et telle que je suis, —
Sans même aller chercher un chapeau, — je le suis !
A tout prix, maintenant, j'en veux, du romanesque !   15
Qu'il vienne, ce monsieur ! — déjà je l'aime presque !
Comme je lui tendrais les deux mains, s'il venait !
Et comme . . .

STRAFOREL, apparaissant, d'une voix éclatante.

Le voilà !

SYLVETTE

Au secours, Percinet !

(Reculant à mesure que Straforel avance.)

L'homme, n'approchez pas !

STRAFOREL, amoureusement

Pourquoi cet air hostile ?
Je suis pourtant celui dont vous aimiez le style,   20
Tout à l'heure !... le trop favorisé mortel

Dont le billet vous plut, et sur l'amour duquel
Vous comptiez, si j'en crois les propos que vous tîntes,
Pour vous faire enlever et fuir loin des atteintes !

SYLVETTE, ne sachant que devenir

L'homme ! . . .

STRAFOREL

Vous me prenez pour un maçon ?   Exquis !
C'est exquis ! — Sachez donc que je suis le marquis   5
D'Astafiorquercita, fol esprit, cœur malade,
Qui cherche à pimenter l'existence trop fade,
Et voyage, façon de chevalier errant
Auquel est un rêveur, un poète, adhérent !
Et c'est pour pénétrer en vos jardins, Cruelle,   10
C'est par amour pour vous que j'ai pris la truelle !

(Il jette d'un geste élégant sa truelle, et dépouillant vivement sa souquenille,
    ôtant son chapeau blanc de plâtre, apparaît dans un étincelant costume
    almavivesque. Perruque blonde, moustache conquérante.)

SYLVETTE

Monsieur . . .

STRAFOREL

Par un nommé Straforel, j'ai connu
Votre histoire.   Un amour insensé m'est venu
Pour la pauvre victime, innocente étourdie,
Contre qui cette ruse infâme fut ourdie ! . . .   15

SYLVETTE

Marquis ! . . .

STRAFOREL

Ne prenez pas cet air épouvanté. . . .
Du rôle qu'il joua ce gueux s'étant vanté,
Je l'ai tué . . .

SYLVETTE

Tué ! . . .

STRAFOREL

D'une seule estocade.
D'être un justicier, j'eus toujours la toquade !

SYLVETTE

Monsieur . . .

STRAFOREL

Je vous comprends, ô cher cœur incompris !
Vous voulez du roman, n'est-ce pas, à tout prix ?

SYLVETTE

Mais, marquis ! . . .

STRAFOREL

Donc, c'est dit : ce soir, je vous enlève !

SYLVETTE

Monsieur . . .

STRAFOREL

Et pour de bon !

SYLVETTE

Monsieur !

STRAFOREL

Ah ! quel beau rêve !
Vous avez consenti !   Je l'ai bien entendu !   5
Oui, ce soir nous prendrons notre vol éperdu !
— Si de votre papa la tête se détraque
De douleur, c'est tant pis ! . . .

SYLVETTE

Monsieur . . .

STRAFOREL

Si l'on nous traque
— Car on poursuit le rapt avec sévérité, —
C'est tant mieux !

SYLVETTE

Mais, monsieur ! . . .

STRAFOREL

Tant mieux, en vérité !   10
Nous pourrons fuir à pied par une nuit d'orage,
Nos fronts nus sous la pluie et le vent faisant rage !

SYLVETTE

Monsieur . . .

STRAFOREL

Et pour gagner un lointain continent
Nous nous embarquerons, madame, incontinent !

SYLVETTE

Monsieur . . .

STRAFOREL

Et loin, bien loin, dans quelque pays vierge,
Où nous vivrons heureux sous la bure et la serge . . .

SYLVETTE

Ah ! mais . . .

STRAFOREL

Car je n'ai rien !   Vous ne voudriez pas   5
Que j'eusse quelque chose ! . . .

SYLVETTE

Enfin !

STRAFOREL

Nos seuls repas
Seront du pain, — du pain mouillé de douces larmes !

SYLVETTE

Pourtant . . .

STRAFOREL

L'exil pour nous se fleurira de charmes !

SYLVETTE

Monsieur . . .

STRAFOREL

Et le malheur pour nous ne sera qu'heur !
Pas même une chaumière : une tente ! . . . et ton cœur ! 10

SYLVETTE

Une tente ?

STRAFOREL

Eh bien, oui, quatre piquets, deux toiles . . .
Ou, si vous préférez, rien du tout, — les étoiles!

SYLVETTE

Oh! mais . . .

STRAFOREL

Quoi! vous voilà prise d'un tremblement?
Vous voudriez aller moins loin, probablement? —
Soit! nous vivrons cachés, ô ma Déité blonde,   5
Seuls, ayant encouru la vindicte du monde!
— Ivresse! . . .

SYLVETTE

Mais, monsieur, vous vous êtes mépris . . .

STRAFOREL

Les gens s'écarteront de nous avec mépris!

SYLVETTE

Mon Dieu! . . .

STRAFOREL

Les préjugés sont faits pour qu'on les foule,
Et nous serons heureux des mépris de la foule!   10

SYLVETTE

Monsieur . . .

STRAFOREL

Je n'aurai pas d'autre occupation
Que de vous raconter au long ma passion!

SYLVETTE

Monsieur . . .

STRAFOREL

Bref, nous vivrons en pleine poésie!
— J'aurai de furieux accès de jalousie!

SYLVETTE

Monsieur . . .

STRAFOREL

Et vous savez, lorsque je suis jaloux,
J'ai la férocité des chacals et des loups !

SYLVETTE, tombant anéantie sur le banc

Monsieur . . .

STRAFOREL

Si vous brisiez notre chaîne sacrée,
Immédiatement vous seriez massacrée !

SYLVETTE

Monsieur . . .

STRAFOREL

Vous frissonnez ?

SYLVETTE

Ah ! Dieu, quelle leçon !   5

STRAFOREL

Est-ce du sang, corbacque ! ou bien si c'est du son
Qui court dans vos vaisseaux artériels ! — Tonnerre !
Vous m'avez un peu l'air d'une pensionnaire,
Pour oser affronter ces destins hasardeux ! . . .
— Ça, voyons, pars-je seul, ou partons-nous tous deux ? 10

SYLVETTE

Monsieur . . .

STRAFOREL

Oui, je comprends, ma voix vous réconforte.
Eh bien ! nous partirons, puisque vous voilà forte.
Je vous enlèverai, tout à l'heure, à cheval,
En travers de ma selle . . . oh ! vous y serez mal ! —
Mais la chaise à porteurs, esthétique et commode,   15
Dans l'enlèvement faux est seulement de mode !

SYLVETTE

Mais, monsieur . . .

STRAFOREL, remontant

A tantôt !

SYLVETTE

Mais, monsieur . . .

STRAFOREL

A tantôt !

Le temps d'aller quérir un cheval, un manteau . . .

SYLVETTE, hors d'elle

Monsieur !

STRAFOREL, avec un geste immense

Et nous fuyons de contrée en contrée ! . . .
(Redescendant.)
O la longtemps rêvée et l'enfin rencontrée !
L'âme à qui peut mon âme enfin dire : " Ma sœur ! "   5
A tantôt pour toujours !

SYLVETTE, d'une voix éteinte

Pour toujours !

STRAFOREL

O douceur !

Vous allez vivre auprès de l'être aimé, de l'être
Pour lequel vous brûliez avant de le connaître,
Et qui, vous ignorant, pour vous se calcinait ! . . .
(Avant de sortir, la voyant comme évanouie sur le banc.)
Et maintenant, tu peux revenir, Percinet !   (Il sort.)   10

SCÈNE III

SYLVETTE, seule

(Ouvrant les yeux.)

Monsieur . . .   Marquis . . .   Non, pas en travers de la selle !
Ayez pitié de moi, — non, je ne suis pas celle . . .
Pas du tout ! — Laissez-moi rentrer à la maison ! —
Une pensionnaire : oui, vous aviez raison !
Il n'est plus là ! . . . Marquis ! . . .   Seule ? . . .   Ah ! Dieu,
        l'affreux rêve !   (Un temps. Elle se remet.)   5
J'aime mieux que ce soit pour rire qu'on m'enlève !
                    (Elle se lève.)
Eh bien, Sylvette, eh bien, ma petite, — comment !
Vous appeliez tantôt à grands cris le roman,
Et, le roman venu, vous n'êtes pas contente ? . . .
Oh ! la serge, l'exil, les étoiles, la tente ! . . .   10
Non, c'est trop ! . . .   Du roman, j'en voulais bien un peu,
Comme on met du laurier dedans le pot-au-feu ! . . .
Mais c'est trop !   Je ne puis supporter ces secousses.
Je me contenterais d'émotions plus douces . . .
(Le crépuscule violit vaguement le parc. Elle reprend son voile laissé sur le banc,
        s'en couvre la tête et les épaules, et, rêveuse :)
Qui sait si ? . . .
(Percinet paraît. Il est en haillons, le bras en écharpe, se traîne à peine. Un feutre
        d'où pend, lamentable, une plume cassée, cache ses traits.)

SCÈNE IV

SYLVETTE, PERCINET

PERCINET, pas encore vu de Sylvette

                Je n'ai rien mangé depuis hier,   15
Je tombe de fatigue, — et je ne suis pas fier.
— La fâcheuse équipée ! . . .   Ah ! j'en ai vu de dures !
Ce n'est pas amusant du tout, les aventures !
(Il s'affaisse sur le mur. Son chapeau tombe et découvre sa figure. Sylvette l'aperçoit.)

SYLVETTE

Vous !   (Il se lève, saisi.   Elle le regarde.)

Et dans quel état ! . . .   Se peut-il ? . . .

PERCINET, piteusement

Il se peut.

SYLVETTE, joignant les mains

Mon Dieu !

PERCINET

J'ai, n'est-ce pas, la silhouette, un peu,

Que le dessinateur donne à l'Enfant Prodigue ! . . .

(Il chancelle.)

SYLVETTE

Mais il ne se tient plus !

PERCINET

Je sens quelque fatigue.

SYLVETTE, apercevant son bras, avec un cri

Blessé !

PERCINET, vivement

Seriez-vous donc pitoyable aux ingrats ?

SYLVETTE, sévère, et s'éloignant

Les pères seuls, monsieur, font tuer le veau gras !

(Percinet fait un mouvement et son bras blessé lui arrache une grimace. — Sylvette,
malgré elle, effrayée.)

Pourtant, cette blessure ?

PERCINET

Oh ! que je vous rassure !

Elle n'est nullement grave, cette blessure !

SYLVETTE

Mais, qu'avez-vous donc fait, monsieur le vagabond,

Pendant tout ce long temps ! . . .

PERCINET

Sylvette, rien de bon.   (Il tousse.)   10

SYLVETTE

Vous toussez, maintenant?

PERCINET

Eh! mon Dieu! nous courûmes
Les grands chemins, la nuit . . .

SYLVETTE

Et l'on y prend des rhumes . . .
Quels étranges habits vous avez! . . .

PERCINET

Des voleurs
Ont pris les miens, Sylvette, — et m'ont donné les leurs.

SYLVETTE, ironique

Et combien avez-vous eu de bonnes fortunes?   5

PERCINET

Laissons ces questions, Sylvette, inopportunes.

SYLVETTE

Vous avez dû sans doute escalader beaucoup
De balcons? . . .

PERCINET, à part

J'ai manqué de me rompre le cou. . . .

SYLVETTE

De plus d'un doux succès vous gardez la mémoire?

PERCINET, de même

Je suis resté trois jours caché dans une armoire.   10

SYLVETTE

Et vous avez gagné plus d'un galant pari?

PERCINET

Oui, oui ! . . .   (A part.)

         Je me suis fait rosser par un mari.

SYLVETTE

Guitare en main, chanté plus d'un couplet nocturne ?

PERCINET, de même

Qui fit choir sur mon chef plus d'une petite urne !

SYLVETTE

Enfin, comme je vois, tâté d'un vrai duel ?

PERCINET, de même

Qui me valut ce coup de peu s'en faut mortel.   5

SYLVETTE

Et vous nous revenez ? . . .

PERCINET

         Fourbu, minable, étique !

SYLVETTE

Oui, — mais ayant du moins trouvé du poétique ?

PERCINET

Non, — je fus chercher loin ce que j'avais tout près !
Ah ! ne me raillez plus ! . . . je vous adore.

SYLVETTE

            Après

La désillusion que nous eûmes ? . . .

PERCINET

         Qu'importe !   10

SYLVETTE

Mais nos pères nous ont trompés d'horrible sorte !

PERCINET

Qu'importe !   Dans mon cœur, maintenant, il fait jour !

SYLVETTE

Mais ils feignaient la haine ! . . .

PERCINET

                    Avons-nous feint l'amour ?

SYLVETTE

Le mur fut un Guignol, — vous l'avez dit vous-même !

PERCINET

Sylvette, je l'ai dit ! — mais ce fut un blasphème !
Ou du moins . . . quel Guignol, vieux mur, tu nous offrais !   5
Qui pour portants avait les grands branchages frais,
Pour fond le parc fuyant, l'azur vaste pour frises,
Pour orchestre invisible et vif les quatre brises,
Pour accessoires clairs le rayon et la fleur,
Le soleil pour quinquet, Shakspeare pour souffleur !   10
    Oui, comme à ces pantins dont on gante les vestes,
Nos pères nous faisaient exécuter des gestes :
Mais, dans ce Guignol-là, Sylvette, songez-y,
C'est l'Amour qui faisait parler les pupazzi !

SYLVETTE, soupirant

C'est vrai, mais nous aimions, croyant être coupables !   15

PERCINET, vivement

Et nous l'étions ! . . .   Gardez ces remords agréables.
Comme l'intention compte autant que le fait,
Nous croyant criminels, nous l'étions en effet !

SYLVETTE, ébranlée

Est-ce bien sûr ?

PERCINET

Très sûr, chère petite amie ;
Nous avons simplement commis une infamie.
J'en atteste ta grâce et ton souffle aromal :
De nous aimer, ce fut très mal, très mal . . .

SYLVETTE, s'asseyant près de lui

Très mal ? . . .

(Changeant et s'éloignant encore.)

C'est vrai, mais je regrette un peu, pour notre gloire,   5
Que le danger couru n'ait été qu'illusoire !

PERCINET

Il fut réel pour nous qui le crûmes réel !

SYLVETTE

Non.   Mon enlèvement, comme votre duel,
Était faux ! . . .

PERCINET

Votre peur l'était-elle, madame ?
Et, puisque vous avez passé par l'état d'âme   10
De quelqu'un d'enlevé, Sylvette, en vérité,
C'est comme tout à fait si vous l'aviez été.

SYLVETTE

Non, le cher souvenir n'est plus ; ces torches folles,
Ces masques, ces manteaux, et ces musiques molles,
Ce combat, tout ce charme enfin, c'est trop cruel   15
De penser que cela fut fait par Straforel !

PERCINET

Et la Nuit de Printemps, est-ce lui qui l'a faite ?
Est-ce lui qui régla l'inoubliable fête
Que l'amitié d'Avril nous donna ce soir-là ?
Est-ce lui qui, le ciel étoilé, l'étoila ?   20
Lui, qui d'ombre effaça si bien les rosiers grêles

Que les roses semblaient, comme surnaturelles,
Se tenir en suspens dans l'air mystérieux ?
Dispensa-t-il les frissons gris, les reflets bleus ?
Versa-t-il les langueurs ?   Fut-il pour quelque chose
Dans l'apparition de l'Astre d'argent rose ?   5

SYLVETTE

Non, certe . . .

PERCINET

        Et, fit-il donc dans la Nuit de Printemps
Dis-moi, que nous étions deux enfants de vingt ans,
Et que nous nous aimions, car ce fut là le charme,
Tout le charme !

SYLVETTE

     Tout le . . . c'est vrai, mais . . .

PERCINET

               Une larme ? —
Il est donc pardonné, le méchant qui partit ?   10

SYLVETTE

Je t'ai toujours aimé, va, mon pauvre petit.

PERCINET

J'ai retrouvé ton front, sa puérile frange,
Et ton jeune parfum qui fait un fin mélange
Avec tous les parfums des cytises voisins. . . .
Ah ! les Anges, ce soir, ne sont pas mes cousins ! —   15
(Il joue avec le voile de Sylvette.)
Oh ! laisse-moi baiser le liseré frivole
Du voile aérien qui de ton front s'envole !
Comme il me rafraîchit les lèvres, ce tissu,
Ce tendre et clair tissu, pour qui je n'ai pas su
Vous dédaigner, satins et velours équivoques !   20

SYLVETTE

Quels satins ?   Quels velours ?

PERCINET, vivement

Oh ! rien, rien, rien, — des loques !
Oh ! jeune fille, enfant, mousseline est ton nom !
Oh ! que j'aime ce voile frais ! . . .

SYLVETTE

C'est du linon.

PERCINET, s'agenouillant

Je l'aime et suis tremblant que mon baiser le souille,
Car ce voile devant lequel je m'agenouille . . .   5

Ce léger linon
Qui vous emmitoufle,
Mais à la façon
    D'un souffle ;

Ce linon léger   10
Dont la candeur frêle
A le voltiger
    D'une aile ;

Ce léger linon,
Assez diaphane   15
Pour qu'un seul rayon
    Le fane ;

Ce linon, léger
Comme un fil de berge
Que fait voyager   20
    La Vierge ;

Ce léger linon,
C'est votre pensée
Que les choses n'ont
    Froissée !   25

Ce linon léger,
C'est, neigeuse flamme
Qu'un rien fait bouger,
   Votre âme !

Ce léger linon,   5
Ce linon que j'aime,
Ce n'est rien sinon
   Vous-même !

SYLVETTE, dans ses bras

Vois-tu, la poésie est au cœur des amants :
Elle n'émane pas des seuls événements.   10

PERCINET

C'est vrai : ceux dont je sors, quoique très authentiques,
Ne furent pas du tout, Sylvette, poétiques.

SYLVETTE

Et ceux, par nos papas machiavels arrangés,
Le furent, Percinet, encor que mensongers.

PERCINET

Car elle peut broder lorsqu'elle aime, notre âme,   15
De véritables fleurs sur une fausse trame.

SYLVETTE

La poésie, amour, mais nous fûmes des fous,
De la chercher ailleurs lorsqu'elle était en nous.

SCÈNE V

LES MÊMES, STRAFOREL, BERGAMIN, PASQUINOT

(Straforel ramène les deux pères, et leur montre Sylvette et Percinet dans les
bras l'un de l'autre.)

STRAFOREL

Refiancés ! . . .

BERGAMIN

Mon fils !   (Il embrasse Percinet.)

STRAFOREL

Me paierez-vous ma note ?

PASQUINOT, à sa fille

Tu l'aimes derechef ?

SYLVETTE

Oui.

PASQUINOT

Tête de linotte !

STRAFOREL, à Bergamin

Palperai-je mon or ?

BERGAMIN

Vous palperez votre or !

SYLVETTE, qui a tressailli

Mais au fait . . . cette voix ! . . . le marquis d'As-ta-fior . . .

STRAFOREL, saluant

Quercita ?   C'était moi, chère mademoiselle,   5
Moi, Straforel ! . . .   Daignez me pardonner mon zèle ;
Le moyen que j'ai pris était bon en ceci,
Qu'il vous a fait connaître, — en vous laissant ici, —
Tout ce qu'ont d'ennuyeux ces aventures vraies

Dont les femmes toujours sont tôt désenivrées.
Sans doute, vous pouviez . . .

(Montrant Percinet.)

comme ce citoyen,

Vous-même les courir, mais dame ! le moyen
Pour une jeune fille étant trop énergique,
Je vous en ai fait voir la lanterne magique.   5

PERCINET

Qu'est-ce ?

SYLVETTE, vivement

Rien, rien, — je t'aime ! . . .

BERGAMIN, montrant le mur commencé

Et demain même, pan !

D'un coup de pioche on va redémolir ce pan . . .

PASQUINOT

Enlever ce ciment, ces pierres et ce sable ! . . .

STRAFOREL

Non, construisez le mur, — il est indispensable !

SYLVETTE, réunissant autour d'elle tous les acteurs

Et maintenant, nous quatre, — et monsieur Straforel, —   10
Excusons ce que fut la pièce, en un rondel.

(Elle descend vers le public.)

PERCINET

Des costumes clairs, des rimes légères,
L'Amour, dans un parc, jouant du flûteau . . .

BERGAMIN

Un florianesque et fol quintetto,

PASQUINOT

Des brouilles, d'ailleurs toutes passagères,   15

STRAFOREL

Des coups de soleil, des rayons lunaires,
Un bon spadassin en joyeux manteau,

SYLVETTE

Des costumes clairs, des rimes légères,
L'Amour, dans un parc, jouant du flûteau . . .

PERCINET

Un repos naïf des pièces amères,   5
Un peu de musique, un peu de Watteau,
Un spectacle honnête et qui finit tôt,
Un vieux mur fleuri, — deux amants, — deux pères . . .

SYLVETTE

Des costumes clairs, des rimes légères !

(Le jour baisse insensiblement; la lune se lève et bleuit mollement les arbres des deux parcs. On entend au lointain s'affaiblir la voix des acteurs. On voit Percinet et Sylvette remonter lentement; puis, à un plan plus reculé, on distingue encore la voix argentine de Sylvette. La scène reste vide, — sans

RIDEAU.)

NOTES

PAGE 3, LINE 3. Lines from Shakespeare's "Romeo and Juliet" happily rendered into French. "Romeo and Juliet," Act III, Scene v.

4 2–7 See note on 3 3.

4 5 point: from *poindre*.

4 6 Cynthia: the moon. One of the names of Diana (from Mount Cynthus where she was born); the goddess (moon) is classically represented with a crescent upon her forehead.

4 7 Vienne (la Mort): the subjunctive present, third singular, serves as an imperative, though usually accompanied by *que*, here omitted. This construction may be explained by ellipsis of some expression of desire, command, etc. *Que la Mort vienne — let death come;* or, as in English, *come death*, etc.

4 9 restons-en là! : *let us stop here!*

4 10 jusques à: for *jusqu'à*, by poetic license; to make an extra syllable. See Introduction, The Alexandrine.

4 13 Will: William Shakespeare.

4 21 sort: *fate*. Juliet, supposedly dead, is lying in the churchyard of Verona, in the Capulet family vault. Romeo, in exile at Mantua, hastens to Verona. Himself deceived, he has just taken his life when Juliet revives and finds herself bereaved. She slays herself over his body. — qu'on fut méchant pour eux! : *what ill luck befell them!*

5 3 la menteuse: translate mildly, *you deceitful girl, fibber*.

6 1 Note throughout this scene the playful skirmishes of the lovers, as shown now by the timid personal pronoun *you* and now by the bolder French pronoun *thou*. This ingenious though subtle scheme is introduced by Rostand in many of the scenes that follow. In translation, only the tone of voice will indicate this change of pronouns.

6 4 Mais jamais de la vie! : *never!* a coquettish and quite unexpected retort.

6 6 encor: dissyllabic by poetic license. See Introduction, The Alexandrine.

6 10 Vérone: *Verona*, an old city of northern Italy.

6 11   Si ! : *yes*, affirms a preceding negative.

7 3   Capulet : the family name of Juliet. — **Montaigüe** : the family name (Montague) of Romeo. — Two powerful Veronese families of the thirteenth century, famous for the deadly feud which led to the undoing of Romeo and Juliet.

7 5   Comment ça s'est-il fait . . . ? : *how did this come about . . . ?* *Ça*, popular contraction of the indefinite demonstrative pronoun *cela*, *that* ; here better translated *this*, or still better by the indefinite pronoun *it*. Note that the English point of view often differs from the French : *this* is commonly said for *that*, or *it* for either, to suit the translation.

7 12   chez vous : here, *on your side*.

8 1   rire de nid : a delicate poetic figure. Translate, *your laugh, sweet as laughter from a nest ;* or more directly perhaps, *your sweet bird-like laugh.*

8 3   folle vigne vierge : Virginia creeper, commonly called "woodbine," not native in France, but widely planted for ornament. Translate, *riotous Virginia creeper.*

8 13   dénouement : *solution* (of any difficulty or plot). — A scene which anticipates Cyrano de Bergerac's six or seven ways of reaching the moon. "Cyrano de Bergerac," Act III, Scene xi.

9 3   Prince Régnant : as in the fairy-tale, the proverbial *Reigning Prince*. Note with what animation and artless grace Sylvette here brings forth her nursery-lore. A genial satire on the juvenile idealism of this enthusiastic girl.

9 6   don : *Sir, Mr.* (Lat. *dominus*) ; used in Spanish with the given name only. — **Rodrigue et Chimène** : Spanish lovers immortalized by the great French dramatist Corneille in " Le Cid," first presented in 1636.

9 9   Peau d'Ane : the well-known fairy-tale.

10 11   On vient ! : *I hear somebody !*

10 12   Salut : a prayer sung in the evening, ending with the blessing of the Sacrament ; at dusk ; — **dis ?** : *won't you ?* — **Si !** : see note on **6 11**.

11 6   insigne : *conspicuous, striking ;* here perhaps *shapely*.

11 12   vigne rouge : *scarlet creeper*.

11 13   glycine mauve, etc. : *the mauve snail-flower's long velvet panicles.*

11 14   aristoloches : *birthwort.*

11 16   cheveux roux : *reddish mane-like tufts of grass.*

12 3   banc, etc. : *it makes, for the humble bench fixed in its side, a back like that of velvet in the throne of a king.*

12 5 **blanc-bec**: a callow bird; here, *beardless youth, young man.* — **accroire**: old-fashioned for *croire;* obsolete, except in some French provinces; used with *faire* only.

12 6 **beaux yeux**: here the idiom, *sweet sake.*—**Voire**: obsolete for *truly!*

12 8 **étonnements**, *wonders ;* literally, *astonishments.* What a beautiful figure! Percinet obviously chooses to interpret *beaux yeux* literally.

12 11 **volatiliserons**: *volatilize, dry.*

12 12 **liserons**: *morning-glories.*

12 13 **spirituel**: *bright, clever.*

12 14 **je connais**: here in the sense of *je sais.* The verb *connaître* is much used colloquially instead of *savoir* with a tinge of self-complacency : — I know and *understand.*

12 15 **du théâtre !** . . . **En vers !**: *drama !—in verse !* Note the fine raillery of Rostand, who lets Percinet be upbraided for his interest in the poetic drama.

13 9 **remaçonner**: *to rebuild ;* a compound not found in a standard French dictionary, but intelligible.

13 13 **Qu'on verra**, etc.: *set in serried ranks* (closely and regularly packed). Note circumlocution and omit first half of verse.

13 16 **Ça**: adverbial, *now*, or *come now ;* here *ça* is not the indefinite demonstrative pronoun as in **7** 5, but the popular adverb of place, *there* or *here ;* frequently interrupts and usually introduces a turn in the conversation. Translate to suit context.

13 18 **A ce soir !**: *this evening*, don't forget ! A phrase of leave-taking, like *à demain*, meaning properly *good-bye till this evening*, etc. — **devant que**: by poetic license this conjunction (although *devant* primarily refers to place) is used instead of *avant que*, the more usual time-conjunction, to avoid hiatus, or to make an extra syllable in the line.

14 3 **vient de**: idiomatic for *has just ;* the present and the imperfect of *venir de* + an infinitive give a kind of immediate past, the infinitive following *de* being translated as a past participle preceded by *just.*

14 5 **Or donc**: *now then.*

14 6 **Tu ! tu !**: onomatopoetic (imitating sound) for whistling.

15 5 **je n'en veux pas de**: redundant construction. It adds an element of strength to the colloquial speech. — **Attends !**: note the sudden turn in Bergamin's form of address to his son, as shown by the change of personal pronouns. The form *vous*, though the prevailing form of address, is more ceremonious and less familiar than the second person singular forms *tu, te, toi*, or the imperative form here used — forms used only in friendly intercourse, or by lovers, or in addressing menials; also occasionally used with a shade of contempt, and, as here, in rebuke. See note on **6** 1 for the translation of these pronouns.

15 6   **Je m'en vais**: colloquial for *je vais;* note the redundant construction.

15 10   **Impudique!**: *shameless fellow!* A comical stroke. Observe the literal and material turn of mind of Bergamin, who is shocked and even angry at the graceful but harmless love-poetry of his son. — **Avril récent**: *new-born April.*

15 11   **Pendard!**: *wretch!* This and other like epithets in this scene are not to be too literally translated. Choose terms of opprobrium not too harsh.

16 4   **qui m'entend**: note the significance of this playful reference.

16 6   **Que l'on**, etc.: note that the indefinite personal pronoun *on* is here preceded by the definite article which would naturally accompany the noun *homme* from which *on* is derived. This article (not to be mistaken for the direct-object pronoun, which must follow *on*) is generally introduced for euphony — to prevent hiatus between two vowels which cannot amalgamate; after *et*, of which the *t* is always silent; and, as here, to avoid elision in order to make an extra syllable for the verse.

16 10   **Que fait-on**, etc.: *well, what's our young lady doing around here? Oh, nothing, just walking.* Note that the indefinite personal pronoun *on* has the useful property of being subject of a verb in the third singular, and yet, as here, of replacing a personal pronoun of any person to form evasive answers and to avoid over-directness in questions or statements. Translate to suit context. Note her own use of *on* in her answer.

17 1   **défend**: without the personal ending *s*, to rhyme for the eye: an old law not systematically followed by Rostand. See Introduction, The Alexandrine.

17 7   **connaissaient**: here in the sense of *savaient.*

17 12   **qu'on s'entre**, etc.: *that spikes might enter the flesh of those who should so much as come near.* See note on **16** 10.

17 15   **serré**: *close, somewhat miserly.* The key-note to the character of Pasquinot.

18 2   **coryza**: *cold in the head.* — **L'animal**, etc.: *the nuisance lingers.*

18 9   **tendron**: familiarly, *young girl.*

19 3   **ce**: indefinite demonstrative pronoun, object of preposition *pour*, for *this, that*, etc. Translate to suit context; used in colloquial French with a laconic turn, as in *sur ce, après ce*, etc.

19 7   **serins:** popular for *simpletons.* — **Aussi . . . leur avons-nous:** the inversion of subject and verb usually occurs after *aussi* for greater ease of utterance.

19 11   **Lors:** synonymous with *alors,* by poetic license.

19 18   Recast, *leur mettre la puce à l'oreille:* colloquial, *to put a flea in their ear ; to reveal the ruse.*

19 19   See note on **15** 11.   Observe the sudden turn of contempt bred of familiarity.

20 10   **court sus aux:** *rushes upon the . . .* (with intent to catch or strike) ; *sus (dessus)* occurs in obsolescent expressions.

20 15   **Ah ! ça,** etc.: Pasquinot is astounded and hesitates to answer coherently.

20 16   **proprement:** popular for *very, quite, somewhat ;* an adverb which modifies *génial* in the preceding line. — **Chut !:** onomatopoetic for *hush !*

20 17   **spadassin:** *swordsman ;* here perhaps more properly *swash-buckler.*

21 4   **Élémentaire:** *easy !*   Note the Dumas-like effect of the laconic answer given in this line and in the next.

21 6   **Simulacre de rapt:** *pretended abduction.*   Note the author's humorous and frequent use of words of learned origin in matters of little import.

21 8   **garçonnet:** *pet.*   Diminutive of *garçon.*

21 9   **J'opérerai:** better with the grave accent (*è*), though some grammarians retain the *é* in the future and conditional of *-rer* verbs.

22 3   **prenez:** popularly, *charge.*

22 11   **hommes noirs:** here, *men in black, masked men.*

22 16   **en dehors:** *extra.*

22 19   **ad libitum:** *at will,* or *at pleasure.*

22 21   **plaisant:** *humorous.*

23 4   **appels de pied:** *stamping of feet,* signals.

24 2   **entre-bâille:** *leave ajar.*

24 10   **ifs:** *yew-trees.*

25 1   **chiffres:** *monograms ;* usually initial letters interwoven. — **massif:** *flower-bed.*

25 3   **sévère:** *monotonous, plain.*

25 4   **boules de verre:** *glass ornaments.*

25 9   **casée:** familiarly, *provided for.*

26 1   **canaille !:** see note on **15** 11.

26 2   **marmaille !:** familiarly, *brats !*

27 2   **Rentre:** colloquial for *come home.* — **Ma rage . . . paroxysme !:** *my wrath is at its height !*   See note on **21** 6.

28 5 **colichemarde**: a sword; also *colismarde*, a strange corruption of the German *Königsmark*, name of the inventor of this species of rapier, which was in vogue during the reign of Louis XIV. Translate, *let the sword raise the cloaks a little more: bear down on the hilt!* — in a swaggering manner.

28 7 **nègres**: *blacks*.

28 10 **du flou**: *softly;* perhaps ironically *with care*.

28 11 **mandoline**: here, the *man* who plays that instrument. — **l'alto**: *the viola* (or *tenor violin*) *player*.

28 12 **Concert champêtre**: a painting by Watteau. — **Watteau**: Antoine Watteau (1684–1721), a French painter of extraordinary brilliancy and lightness. His *Concert Champêtre* is an animated rural scene.

28 13 **On se**, etc.: see note on **16** 10.

28 14. **Ça, de l'allure!**: *come, no lounging there!* See note on **13** 16. — **en sourdine**: *noiselessly;* here, *in an undertone*.

28 15 **Sol**, etc.: names of notes.

28 17 **sureaux**: *elders* (trees). — **grise**: *intoxicates*.

28 18 **pénombre**: *semi-obscurity*.

29 2 **Amoroso!**: (Ital.) *lovingly*, a musical term; here, *softly*.

29 3 **rendez-vous**: in popular English, "date."

29 4 **faille**: Flemish silk.

29 12 **l'une**: Rostand's favorite and playful change of the well-known phrase, *l'une après l'autre*.

30 3 **allez**: here, an interjection equivalent to *rest assured*. — **serez**: supply *vous*. The omission of the personal pronoun subject is common in Old French; here it is left out by poetic license.

30 11 **Tiens**, etc.: an interjection used to call attention or to accompany any thought or action — here, the blows and sword-strokes distributed right and left. Vary to suit context: *there! here! take this! wait!* etc. — **Trémolo!**: (Ital.) *quiveringly*, a musical term; a vibrating rhythm to accompany a scene of unusual suspense or to cover an unpoetic uproar. Retain term. — **Per Baccho!**: *by Bacchus* (Ital. *per Bacco*)! the pet oath of Straforel. Translate, *by Jove!*

31 8 **Il n'y a plus**, etc.: famous phrase uttered by Louis XIV, King of France, when his grandson, the Duke of Anjou, went to assume the throne of Spain in 1700. — This startling allusion forecasts the disappearance of the lovers' obstructive wall. — Bergamin here is superb. — **Pyrénées**: a range of mountains between France and Spain.

32 2 **facture**: here, *a bill*.

33 5 **Ça fait bien**: *things look well*. Note the frequent use of the neuter and colloquial *ça*, especially by the more illiterate characters of the play. — **hein**: interjection for *don't they, isn't it, what, hey,* usual in ordinary conversation with any interrogation.

34 3 **Ouf!**: onomatopoetic, to express relief or exhaustion.

34 5 **Tiens**: see note on **30** 11.

34 7 **faux marbres**: *statues, imitations.*

34 12 **subreptice**: *by stealth.* See note on **21** 6.

35 2 **tailler une bavette**: *to gossip ;* literally, to cut out a bib for the baby.

35 5 **monoquotidienne**: *daily.* See note on **21** 6.

35 6 **ruses**, etc.: *Indian wiles, cunning.*

35 13 Note the unusual scansion and rhyme of this reckless line. See Introduction, The Alexandrine.

36 1 **revanche**: *outcome, reward,* or *revenge* (the Romantic having been outraged by the old men). Translate, *could this possibly be,* etc.

36 3 **Il a l'air**, etc.: translate, *he looks like a big swirling may-bug, sheathed in his coat-tails.*

36 6 **papillon**: here, the cap-peak of clowns and court fools; *tassel.*

36 7 **sifflote**: *whistle about aimlessly.* — **aspic**: *adder* (serpent).

36 8–9 Applied from the Scriptures. Matt. vii. 3.

36 11 **Enchifrenés**: stuffed up with a cold, *snufflers.*

36 12 **sternutatoire**: any substance provoking sneezing, *snuff.* See note on **21** 6.

36 13 **six-vingts**: obsolete among all but old-fashioned French people. Translate, *six score times a day.*

37 2 **Ah! non**: the rapidity of Bergamin's thinking leads him to exclamation and ellipsis in his answer. Translate, *ah! (there is no saying) what a maniac you are!*

37 7 **me désaveugle**: *restores my sight, undeceives me.*

37 12 **Le mur**, etc.: *the wall* (or rather *distance*) *was lending thee enchantment.*

38 5 **moi**: ethical dative; may be omitted in translation.

38 6 **Semblent-ils pas**: supply the negative omitted here by poetic license.

38 8 **Ils sentent**: *they feel glorified.*

38 10 **Pèlerins d'Amour**: the models of Watteau (see note on **28** 12). Allusion to the beaux and belles of eighteenth-century society, as they posed beneath the sylvan shades or disported themselves elegantly upon the lawns of the Luxembourg Gardens of Paris. — **Fêtes Galantes**: a series of pastoral scenes by Watteau; the distractions of the polite society of his day.

38 12 **sta-ti-on:** here trisyllabic by poetic license. Other examples of dissyllabic words which may be trisyllabic in poetry : **40** 9, *fiancé ;* **42** 6, *violon ;* **44** 11, *nuptiales ;* etc. See Introduction, The Alexandrine.

39 1, 2 Je t'aime ! . . . Je vous aime . . . : see notes on **6** 1 and **15** 5.

39 5 **Andromède :** *Andromeda*, daughter of Cepheus, King of Ethiopia. After some quarrel with the Nereids regarding her beauty, a sea-monster summoned by Neptune was about to devour her when Perseus came and released her from the rock to which she had been bound. — Mark the types of love and heroism semi-humorously adduced by Rostand in this scene to parallel the situation of this imaginative pair. — **Persée :** *Perseus*, son of Jupiter and of Danae. His heroism won him the hand of Andromeda.

39 7 **Vingt au moins,** etc. : an echo of Falstaff. Cf. " The First Part of King Henry IV," Act II, Scene iv.

40 1 **sixte, quarte :** fencing terms, alluding to positions assumed in duel.

40 2 **capucins de carte :** playing-cards creased lengthwise (V-shape) and made to stand upright for the amusement of children. A breath suffices to upset long rows of these *card monks* when set up so as to overlap slightly in their fall. In English *to tumble down like a house of cards* is said by analogy of anything that collapses easily.

40 4 **Cid :** Don Rodrigo Diaz de Bivar, surnamed the Cid (chief), a semi-historical Spanish nobleman and warrior of the eleventh century, whose traditional heroism fills many chronicles. See note on **9** 6.

40 9 **petit fiancé,** etc. : the prosaic *little husband of every-day life.*

40 11 **Le doux monsieur,** etc. : *the shy gentleman whom his sister is trying to marry off.*

41 2 **de chien :** *beastly.*

41 4 **notre envol,** etc. : *our soaring vexes their earth-bound flight.* — Envol : *flight,* not found in the standard French dictionary, but intelligible and happily coined.

41 9 **panache :** a word which throws an indefinable light over the dying words of Cyrano de Bergerac, and which invests his life with a subtle charm. It is much liked by Rostand, but has no exact equivalent in English. It means by turns *puff, fame, success, importance, achievement, heroism, glory, honor,* etc. Translate to suit context. Literally, *a plume* (from the Lat. *penna,* through the Ital. *pennacchio,* a crest) worn smartly as a head-dress, and investing the wearer with an air of vainglory often vexing to the beholder.

42 1 **notre amour clandestin :** *our secret attachment,* — *passion.*

42 4 Translate, *luck turns crafty for the sake of lovers.* — **Scapin :** a character of Italian comedy ; a valet and masterly intriguer in the comedy

of Molière, skillful in serving the cause of lovers and of young liber-
tines. — **Léandre**: another character of Italian comedy, — the smooth
lover of light-hearted ladies, courted and hired for his skill in deceiving
husbands and fathers.

42 10 A little Horace-like conceit which bids fair of realization for
Rostand. See also Act I, 8 8.

42 11 **Aude**: a beautiful lady, sweetheart of Roland, who died,
naïvely says the Chronicle, when she heard of his death. — **Roland**:
nephew of Charlemagne, knight and famous warrior whose exploits fill
the *chansons* of the Middle Ages. Note this innocent, mildly Cer-
vantesque satire on the literary inspiration of Percinet and Sylvette. —
Aminte: *Aminta*, a charming lady in Torquato Tasso's pastoral drama
of the same name (a highly idealized and poetic embodiment of its
author and his times).

43 1 **Pyrame**: *Pyramus*, a young Babylonian, the hapless lover of
Thisbe in the pathetic tale. — **Thisbé**: sweetheart of Pyramus.

43 2 **Francesca de Rimini**: daughter of Guido da Polenta, who lived
at Ravenna in the thirteenth century. Her tragic end led Dante to
make her the central figure of one of his most affecting cantos. Cf.
"Inferno," Canto V, ll. 70–142, Scartazzini Edition.

43 3 **Paolo**: handsome younger brother of Francesca's husband,
Giovanni Malatesta, a man rather ill made, ugly, and jealous. Paolo
and Francesca, the poem says, were reading in a book the story of Lance-
lot and the wonderful workings of love when Giovanni came up and
killed them both. — **Pétrarque**: *Petrarch* (1304–1374), Italian poet,
renowned for his faultless sonnets and his platonic love for Laura. —
Laure: *Laura* de Noves (1308–1348), a Provençal woman, born at
Noves, near Avignon; loved and sung by Petrarch.

43 4 **monsieur**, etc.: *Sir Wiseman.*

43 11 **portent . . . sur les nerfs**: *grate on my nerves, irritate.*

44 5 **moutard**: popular for *brat.*

44 6 **moutardier**: a proverbially overbearing but imaginary papal offi-
cial. *Se croire le premier moutardier du pape*, a common phrase meaning *to put on airs.* Cf. Daudet's popular story, "La Mule du Pape."

44 9 **tout de go**: = *tout d'un trait. Go* (*gob*) from *gober*, to swallow
all at once; unceremoniously.

44 10 **conjungo**: jestingly for *marriage.* See note on 21 6.

45 3 **bourru**: *crusty.*

46 7–8 Cf. **16** 4–7.

47 11 A notable line characteristic of Rostand in his playful
moods. Cf. also "Un Soir à Hernani," line 56.

47 13 **Bartholo** : type of the jealous guardian in Beaumarchais's play, "The Barber of Seville." Figaro, a crafty valet and intriguer, takes from him Rosine, his pupil.

47 14 **Almaviva** : in "The Barber of Seville." Type of nobleman corrupted and corrupting, recalling the cultured manners and abuses of the old nobility. Dupe of Figaro, his valet.

48 2 **vient . . . de** : see note on 14 3.

48 4 **Cassandre** : in Italian comedy and in Molière. Type of foolish old men and credulous fathers. — **Orgon** : in Molière's "Tartufe." Dupe of impostors of all sorts, willing to sacrifice all for a silly infatuation. — **Géronte** : ridiculous and stubborn father, in Molière. — **Argante** : easy old man, dupe of Scapin, in Molière's "Fourberies de Scapin."

48 5 **badernes** : from the Low Breton *badern, old rope-material.* Scornful for *useless old men, old fogies.*

49 4 **maison**, etc. : *Confidential-Business House.*

49 8 **chaise à porteurs**, etc. : *sedan-chair.*

50 6 **Vous ne m'en voulez pas** : idiomatic phrase for *you bear me no grudge ; you are not angry with me. En vouloir à* literally means *to wish of something to somebody*, the idea of evil, ill, harm, being understood in the pronoun *en*, which always precedes *vouloir* in the idiom. The preposition *à* disappears, as here, when the indirect object (usually of the person) is a personal pronoun which may stand before the verb.

50 8 **Ah! vous êtes**, etc. : see note on 6 1.

50 10 **inouïe** : *matchless.*

51 2 **Amadis** : Amadis of Gaul, knight seeking adventures in Spain ; hero of a romance of chivalry, in love with Oriana, daughter of Lisuarte, king of England. Type of a constant lover.

51 8 **Ah! tenez** : *oh! of course.* See note on 30 11.

51 13 The balcony of Juliet, at Verona, overlooking the poetic garden-scene of her memorable courtship. — A felicitous allusion and tribute to its memory.

51 16 **grenadier** : here, *a pomegranate tree.*

51 17 **Inusable** : from *user, to wear out.* Here, *indestructible, imperishable*, presumably because it is now a memory.

52 2 **Nôtre amour merveilleuse**, etc. : note that *amour* here is feminine — an archaic and highly poetic use of the word. When masculine (see 42 1 and 69 1), the meaning of *amour* is generalized; when feminine, it is specialized, — a rather subtle distinction, now seldom made even in poetry. Translate here, *our exceptional love, a marvelous and all-invading (absorbing) passion, has grown about this wall . . .*

52 6 **Savais-je l'escrime,** etc.: *I, know the trick of verse-making? Just listen,* etc. Note that *escrime* also means *to fence*.

52 10 **me remettre:** *recover.*

53 4 **ignorante:** here, *skill-less, inexperienced, indiscreet, tactless,* etc.

53 5 **amour-propre:** *personal pride,.dignity.*

54 10 A harmless pun on the double meaning of *facture:* commonly *a bill,* here the *knack of making* verses. Translate, *I can't fill the bill.*

56 1 **certe:** for *certes,* by poetic license, which renders the word monosyllabic before a vowel. See Introduction, The Alexandrine.

56 9 See note on 40 9.

56 10 **plus:** from *plaire.*

57 1 **mon Dieu!:** translate mildly, as, *dear me!*

57 4 **Oiseau Bleu:** an ideal, a fancy, a dream.

57 5 **simili-rapt:** *pretended kidnapping.* — **pseudo-coups:** note the author's volatile wit as expressed in playfully learned words.

57 6 **enlevée:** *abduction.* — **Hou!:** *pooh!* interjection expressing disgust. — **en toc:** *would-be, tinsel hero;* a phrase probably of Provençal origin, and onomatopoetic.

57 12 **mules:** *slippers.*

58 4 **Guignol:** a stage for marionettes.

58 7 **Deux parangons,** etc.: *two eternal models of love.*

59 6 **moustachu:** *be-mustached.*

60 2 **par trop:** from Latin intensive *per.* Translate, *altogether too unbearable.*

60 3 **Tiens,** etc.: here expressing surprise; *well!* etc.

60 4 **C'était toi!** The use of *toi* here is contemptuous. See note on 15 5. — **Mon Dieu!:** *alas!* — **per Baccho!:** see note on 30 11.

60 7 Cf. Corneille, "Le Menteur," Act IV, 4th line from end of Scene ii.

60 9 **pied en dehors!:** *foot forward!* See note on 40 1.

61 2 **Don Juan:** type of skeptical libertinism, made famous in Mozart's opera, with libretto by Da Ponte, first produced at Prague in 1787.

61 5 **En voici,** etc.: *here's (trouble) of quite another sort.*

61 11 **ce qu'il en est:** *the state of things;* literally, *what there is of it. Il est* is used in poetry for *il y a* to avoid hiatus. Compare this *en* with that of note on 50 6, and on 61 5 above.

62 2 **Au diable!:** *away with them!* Such expressions are common in French, and are to be translated mildly, though firmly.

62 6 **Un faux,** etc.: *simulated abduction to bring about engagement of marriage.*

62 7 **Ils sont,** etc.: *the engagement is broken!* — **défiancés:** not in the standard French dictionary, but intelligible.

63 1 **sol**: old form of *sou, a cent,* to rhyme with *fol,* also an old form of *fou;* these and many other devices of the dramatist give an archaic flavor to the play. A mild satire on the French of the two old-fashioned fathers.

63 4 **rabibochasse**: popular for *patch up;* here, *bring together again.* Note Rostand's frequent use of long-drawn, semi-comical words of popular formation. See note on **21** 6; also note on **57** 5.

63 6 **c'est un peu fort!**: *'t is too much! This is going too far!*

63 7 **nonante**: obsolete for *ninety.*

64 1 **Tra laï, etc.**: onomatopoetic for cadenzas, trills. Rostand has here rightly observed and playfully noted the deliberate habits of foreign workmen and their wont to sing while at work.

64 2 **moellons**: *rubble,* small irregular stones.

65 2 **Un pan de**: omit *de* in translation.

65 8 **Mais non**: *certainly not. Mais* is used with *oui* and *non* for emphasis.

65 9 **désargenteront**: from *désargenter,* to unsilver, to tarnish; here, *to relieve of money.* See note on **63** 4.

66 5 **piquet**: a game at cards.

66 7 **bésigue**: bézique, a game at cards.

66 9 **Tralaï**: see note on **64** 1.

67 1 **grimage**: *smirch, make-up.* Not in a standard French dictionary, but intelligible, and successfully coined.

67 3 **au pourchas du roman**: *in quest of romance. Pourchas,* obsolescent for *chase.*

67 4 **nécroman**: here spelled without the final *t* to rhyme for the eye. See note on **17** 1.

67 5 **reviendra bredouille, etc.**: *will return as he started,* without game, embarrassed. — **n'en menant plus large**: *broken down.*

67 8 **décoquebiner**: *help out of the shell.* See note on **63** 4. — **coquebin**: *chick.* See note on **47** 11. Also "Cyrano de Bergerac," Act III, Scene vi, l. 88.

67 9 **tirant de l'aile**: *broken-winged; dragging a (shattered) wing.*

68 2 **en vert**: usual color of mail-boxes in Europe. A happy reference to the tree in foliage.

68 6 **poulet**: here, *love-letter,* so named because folded in a triangle, thus imitating the *wing* of a fowl.

68 12 **gloses**: properly, the explanation accompanying an obsolete or obscure word; here, *chatter, songs, verses.*

68 14 **suis**: from *suivre.*

68 18   Here begins an impetuous scene, with a realistic vigor which seizes upon the imagination powerfully.   Its *raison d'être* is set forth by Straforel on p. 84, beginning with l. 6.

68 19   **L'homme** : the article of address is used with nouns, in fear and scorn or to hail unknown persons.   *You man ! fellow !*   See note on **5** 3.

69 6   **D'Astafiorquercita (Marquis)** : the picturesque Italian name assumed by Straforel.

69 7   **pimenter** : *to spice, to season.*

69 9   Recast line, *auquel est adhérent un*, etc., *in whom dwells a dreamer*, etc.   A good example of the variously approved transposition of words in a sentence for the sake of meter or of rhyme.   This process is called *inversion* in French versification.   See Introduction, The Alexandrine.

69 11   (*stage direction*)   **almavivesque** : see note on **47** 14.

69 13   **Un amour insensé** : *a boundless yearning, a blind passion.*

69 17   **ce gueux** : Straforel, in the rôle of kidnapper.

69 19   **toquade** : *mania, oddity.*

70 4   **pour de bon** : omit *de ; for good, seriously.*

70 7   **se détraque** : *breaks down.*

71 3   **vierge** : *untrodden.*

71 9   **heur** : obsolete for *luck, happiness.*   Found usually in composition as *malheur* and *bonheur.*

72 6   **vindicte** : *persecution, vengeance.*

72 9   **Mon Dieu !** : *ah me !*

73 6   **corbacque !** : (Ital. *corpo di Bacco !*) *body of Bacchus !* a variation of Straforel's pet oath.   Translate, *good heavens !*   See note on **30** 11.

73 8   **Vous m'avez**, etc. : see note on **38** 5.

73 10   **Ça, voyons** : *come, now !*   See note on **13** 16.

74 1   **À tantôt !** : *presently ;* a phrase of leave-taking analogous to *au revoir.*   See note on **13** 18.

74 6–10   Note the subtle import of these lines.

74 7   **l'être** : noun, *the being.*

75 6   **pour rire** : *for fun.*

75 14   (*stage direction*)   **violit** : a verb coined from the adjective *violet ;* note that verbs coined from adjectives become verbs of the second conjugation.

76 1   **Se peut-il ?** . . . : *can it be ?*   This use of *pouvoir*, impersonal and reflexive, is best translated with the added meaning of *to be.*   Omit the reflexive pronoun in translation.

76 3 l'Enfant Prodigue: *the Prodigal Son ;* see Luke xv. 11–32. Principal personage in one of the most touching parables of the Gospel ; type of the libertine who returns home disillusioned and broken down.

77 2 la nuit . . . : *at night.* — Et l'on, etc. : see note on **16** 6.

78 5 de peu s'en faut : *well nigh, almost.*

78 8 An echo of Goethe's "Erinnerung", *Willst du immer weiter,* etc.

79 1 This line opens the way for the expression of a noble inspiration of the poet. The rehabilitation of Sylvette and Percinet is wrought with great delicacy ; the verses beginning with *Sylvette, je l'ai dit !* **79** 4, and *Et la Nuit de Printemps,* **80** 17, are especially beautiful ; the verses opening with the words *Oh ! jeune fille, enfant,* **82** 2, constitute an exquisite trifle, to be translated with great care. — il fait jour ! : *it is light as day.* Note that the verb *faire* is used in French to express the various conditions of the weather. Translate with *to be.*

79 3 See note on **58** 4.

79 6 portants : *framework.*

79 11 comme à ces pantins, etc. : This figure carried out would suggest, *we were manipulated, by our fathers, like those puppets under whose vest the hand is inserted to manipulate them.* Note the unusual and double meaning of *ganter, to slip on the hand* and *to handle.*

79 14 pupazzi : (Ital.) *puppets.*

80 3 aromal : *balmy, sweet.*

81 5 l'Astre, etc. : the moon. Observe this unusual but delicate bit of description.

81 11 Je t'ai . . . etc. : note that the rehabilitation of the lovers brings them back to the familiar style of address. See note on **6** 1. — va : *believe me.* See note on **30** 3.

81 12 puérile : *youthful, girlish* (locks).

81 14 cytises : *clover.*

81 16 liseré frivole : *playful edge, border.* Also written *liséré.*

82 3 linon : *lawn.*

82 4 que : *lest.*

82 7 emmitoufle : here, *linger about ;* familiarly, *to wrap snugly.*

82 12 voltiger : *flutter.*

82 19 fil de berge : also called *fil de la Vierge,* or *fil de Notre-Dame ; gossamer-threads,* presumably spun by spiders and left floating in the breezes, but said to be the handiwork of the Virgin Mary.

83 2 neigeuse flamme, etc. : *snowy flame, which a mere nothing stirs.*

83 13 papas machiavels : *scheming papas,* like the great Italian diplomat Machiavelli.

83 14 encor que : for *quoique.*

83 17   mais : has here the force of our hesitative *why*.

84 1   Refiancés : a compound not in the standard French dictionary, though intelligible.

84 2   derechef : *again, as at first.*

84 3   Palperai-je : familiar for *to get.*

84 5   Quercita : remainder of name interrupted in preceding line.

85 1   désenivrées : *cured.*

85 6   pan ! : onomatopoetic for *whack !* here the noise of the pickax.

85 7   redémolir : see note on **84 1.**   Observe Rostand's power over words — passing with ease from the commonest to the most exalted vocabulary of the French language.

85 9   For practical purposes the play may satisfactorily end here. The remaining apologetic rondel may be taken as an epilogue.

85 11   Excusons, etc. : the old-time phrase, *let's crave indulgence*, etc.

85 13   L'Amour : here, *Cupid*, called by the name of the passion of which he is the mythological embodiment.

85 14   florianesque : like the little, light comedies of the French poet and fabulist Florian (1755–1794).

85 15   brouilles : *quarrels.*

86 6   Watteau : see note on **28 12.**

86 9   (*stage direction*)   This is, in substance, the stage direction given in the *Acting Version* of "Les Romanesques." It is added here to point out the unusual way in which the play ends, and to show the rare felicity with which the dramatist achieved this delicate fancy of the poet.

ANNOUNCEMENTS

INTERNATIONAL
MODERN LANGUAGE SERIES

FRENCH

About: La Mère de la Marquise and La Fille du Chanoine **(Super)**
Aldrich and Foster: French Reader
Augier and Sandeau: La Pierre de Touche (Harper)
Beaumarchais: Le Barbier de Séville (Osgood)
Boileau-Despréaux: Dialogue, Les Héros de Roman (Crane)
Bourget: Extraits Choisis (Van Daell)
Colin: Contes et Saynètes
Coppée: On Rend l'Argent (Harry)
Corneille: Le Cid (Searles)
Corneille: Polyeucte, Martyr (Henning)
Daudet: La Belle-Nivernaise (Freeborn)
Daudet: Le Nabab (Wells)
Daudet: Le Petit Chose (François)
Daudet: Morceaux Choisis (Freeborn)
Daudet: Tartarin de Tarascon (Cerf)
Dumas: Vingt Ans Après (Super)
Erckmann-Chatrian: Madame Thérèse (Rollins)
Féval: La Fée des Grèves (Hawtrey)
Fortier: Napoléon: Extraits de Mémoires et d'Histoires
Guerlac: Selections from Standard French Authors
Halévy: L'Abbé Constantin (Babbitt)
Halévy: Un Mariage d'Amour (Patzer)
Henning: French Lyrics of the Nineteenth Century
Herdler: Scientific French Reader
Hugo: Notre-Dame de Paris (Wightman)
Hugo: Quatrevingt-Treize (Boïelle)
Hugo: Poems (Edgar and Squair)
Jaques: Intermediate French
Josselyn and Talbot: Elementary Reader of French History
Labiche: La Grammaire and Le Baron de Fourchevif (Piatt)
Labiche and Martin: Le Voyage de M. Perrichon (Spiers)
La Fayette, Mme. de: La Princesse de Clèves (Sledd and **Gorrell)**
La Fontaine: One Hundred Fables (Super)
Lazare: Contes et Nouvelles, First Series; Second Series
Lazare: Elementary French Composition
Lazare: Lectures Faciles pour les Commençants

GINN AND COMPANY Publishers

INTERNATIONAL
MODERN LANGUAGE SERIES

FRENCH — *continued*

Lazare: Les Plus Jolis Contes de Fées
Lazare: Premières Lectures en Prose et en Vers
Legouvé and Labiche: La Cigale chez les Fourmis (Van Daell)
Lemaître: Morceaux Choisis (Mellé)
Leune: Difficult Modern French
Loti: Pêcheur d'Islande (Peirce)
Luquiens: Places and Peoples
Luquiens: Popular Science
Maistre: La Jeune Sibérienne (Robson)
Maistre: Les Prisonniers du Caucase (Robson)
Marique and Gilson: Exercises in French Composition
Maupassant: Ten Short Stories (Schinz)
Meilhac and Halévy: L'Été de la Saint-Martin; Labiche: La
    Lettre Chargée; d'Hervilly: Vent d'Ouest (House)
Mellé: Contemporary French Writers
Mérimée: Carmen and Other Stories (Manley)
Mérimée: Colomba (Schinz)
Michelet: La Prise de la Bastille (Luquiens)
Moireau: La Guerre de l'Indépendance en Amérique (Van Daell)
Molière: L'Avare
Molière: Le Bourgeois Gentilhomme (Oliver)
Molière: Le Malade Imaginaire (Olmsted)
Molière: Les Précieuses Ridicules (Davis)
Musset, Alfred de: Selections (Kuhns)
Pailleron: Le Monde où l'on s'ennuie (Price)
Paris: Chanson de Roland, Extraits de la
Picard: La Petite Ville (Dawson)
Potter: Dix Contes Modernes
Racine: Andromaque (Searles)
Renard: Trois Contes de Noël (Meylan)
Rostand: Les Romanesques (Le Daum)
Rotrou: Saint Genest and Venceslas (Crane)
Sainte-Beuve: Selected Essays (Effinger)
Sand: La Famille de Germandre (Kimball)
Sand: La Mare au Diable (Gregor)
Sévigné, Madame de: Letters of (Harrison)
Van Daell: Introduction to the French Language

GINN AND COMPANY Publishers